アメリカ解体

自衛隊が単独で尖閣防衛をする日

福井県立大学教授
島田洋一

ビジネス社

はじめに

日本は、先進七カ国（G7）中、最も中国に近接した国である。

ソ連との冷戦はヨーロッパが「正面」だったが、中国共産党政権（以下中共）との新冷戦は東アジアが正面である。

中共は尖閣諸島の奪取に向け、じわじわと攻勢に出てきている。G7中、中共に領土を取られかねない状況にある国も日本だけである。

文明の命運が掛かる「中共対自由主義陣営」の闘いにおいて、日本は否応なく「最前線師団」であり続ける。

従って、事を「米中対立」と捉えるのは、特に日本において重大な誤りである。日本は当事者中の当事者以外ではあり得ない。

「米中対立」という言葉には、アメリカが当然先頭に立って中共と対峙《たいじ》するという思い込み、ないし期待がある。しかしアメリカの現状はそうした楽観を許さない。バイデン大統領は、「背後から指導する」を標榜《ひょうぼう》し、実態としては「同盟国にまず任せる」を実践したオバマ政権で、副大統領を務めた人である。しかもオバマより決断力が数段落ちる。

日本のアメリカ報道は、はっきり偏向した米主流メディアに輪をかけて歪《ゆが》んでいる。記者や「識者」の多くが、米メディア発の情報をより単純化して受け売りするためである。

アメリカを正確に知るには、まず米報道界の構造的問題、すなわちなぜ、どのように歪んでいるのかを理解する必要がある。

アメリカを代表する新聞ワシントン・ポストは、その露骨なバイデン擁護姿勢から、今や保守派においては「バイデンのプラウダ」と呼ばれている。

プラウダ（真実）はかつてのソ連共産党の機関紙で、名前自体が最大のブラック・ジョークと言われた。御用メディアの代名詞である。

ポスト紙は、トランプ時代には逆に、品性を欠く政権叩きに邁進《まいしん》し、「アメリカの日刊ゲンダイ」と呼ぶべき様相を呈した。

第1章では、こうした日米のメディアの問題を詳しく取り上げた。

ここで、本書に頻出する「進歩派」という言葉にひとこと触れておきたい。アメリカの保守派はリベラル（liberal）を、「無責任な綺麗《きれい》ごとを言う左翼まがい」といった侮蔑《ぶべつ》的ニュアンスで使う。これがかなり定着したため、今ではリベラル派自身が誇らしげにリベラルを名乗る光景は見られない。

私の学生時代には、まさに「進歩派」がそれに当たる日本語だった。ところがいつしか、日本の進歩派は曖昧《あいまい》なカタカナ語のリベラルに逃げ込み、左翼や中国、韓国に迎合する自民党議員らが盛んにリベラルを自称するようになった。これは看過できない。ある程度批判的ニュアンスの定着した進歩派に戻すべきだろう。なお私は、SNSなどでは進歩派の代わりに「うすら左翼」も使うが、本書では、進歩派で統一した。

第2章は、アメリカの「冷内戦」(Cold Civil War) に焦点を当てた。これは保守派が、国内における冷戦、すなわち社会の土台を掘り崩す内なる敵 (進歩派) との戦い、を指して使う言葉である。中共と強く対峙するためにも、冷内戦を揺るがせにはできない。

人種、民族、宗教などの多様性が大きく、かつ訴訟社会のアメリカでは、様々な社会問題が他国に先んじて先鋭化する。LGBT (性的指向、性自認) 問題など顕著な一例である。セクハラ問題の政治利用などと合わせ、アメリカの現状を報告しつつ、日本自身の「冷内戦」に引きつけて論じた。

第3章では、中共との戦いを多方面から掘り下げた。「気候変動」もその一面である。

文明に背を向ける中共は野蛮な強さを持っている。相手が弱いにもかかわらず奪い尽くさないのは革命家精神に反する。国際法は自らに有利なとき以外、守ってはならない。それが共産党における行動原理である。

大相撲に典型的に見られるように、結局、基本は馬力であり、いくら小技を磨いても、圧倒的な馬力を備えた相手には勝てない。

国も同じである。

中でも、クリーンやグリーンといった標語に踊らされ、国力の基盤たるエネルギー確保を揺るがせにするようでは国はもたない。国家は、侵略以上に、より多く自殺によって滅びる。その点、日本は非常に危うい。

第4章は北朝鮮問題である。北を含む独裁テロ国家との、核ミサイル、人権をめぐる「交渉」の典型例を取り上げた。交渉をカッコ付きにしたのは、必ず「斬首《ざんしゅ》作戦」などの圧力が伴わねばならないためである。拉致《らち》問題にも詳しく言及した。「おわりに」でも、北と私の、マイクロソフトを舞台とした個人的攻防に触れている。

前書きの長い本は読む気が失せる、という人も多い。この辺りで本文に移りたいと思う。

アメリカ解体

――自衛隊が単独で尖閣防衛をする日

目次

第2章

一触即発！ アメリカ「冷内戦」

第3章　新冷戦の勝敗を決める六つの戦略

第4章 暗雲漂う朝鮮半島

第1章

なぜ日本のアメリカ認識はかくも歪むのか

米「主流メディア」

アメリカ情勢を正しく読み解くためには

アメリカの動きを正しくつかむ上で、まず重要なのは、情報源の精査と選別である。偏った情報に依拠すれば、当然、偏った理解と判断にしか行きつかない。

思い起こせば中学生の頃、朝日新聞の天声人語を書いているのが日本最高の知識人だと言われ、その通り無邪気に信じていた。今ワシントン・ポストの社説やＣＮＮの解説を鵜呑《うの》みにし、受け売りしている「識者」を見ると、当時の私を思い出す。

ニューヨーク・タイムズはアメリカの朝日新聞、という認識は日本でも随分定着した。一方、ワシントン・ポストとなると、いまだに、バランスの取れたクオリティ・ペーパー（信頼できる高級新聞）というイメージを抱いている人が多いようだ。

しかし、特にトランプ前大統領の言動をめぐる報道など、ポスト紙の姿勢は、「アメリカの日刊ゲンダイ」と言いたいほど、グロテスクなまでに一面的かつ煽情《せんじょう》的だった。

二〇一六年の大統領選で、「あの俗悪で挑発的で不動産屋あがりのトランプ」が、大方のメディアの予想（というより希望的観測）に反して、「初の女性大統領」確実と思われた民主党主流派の切り札ヒラリー・クリントンを破るという、進歩派にとっては究極の悪夢の現実化が受け入れられず、何か巨大な不正があったと思いたい、何とかして大統領の座から引きずり降ろしたいという無理な願望が、報道人としての矩《のり》を完全に越えさせてしまったと言える。

保守派は、進歩派エリートに広く見られたこうした現象を「トランプ錯乱症候群」（Trump Derangement Syndrome）と呼んだ。

この錯乱は、真の敵を見失い、敵を利することにもつながった。典型例が武漢ウイルスの発生源をめぐる報道姿勢である。

トランプ政権は、大統領、国務長官以下、情報機関の調査分析や科学的知見に基づき、新型コロナウイルス（COVID-19）は中国の武漢ウイルス研究所から漏れ出た可能性が高いとの見方を次第に明確に打ち出すようになった。

政権交代直前の二〇二一年一月十五日には、国務省の名で「武漢ウイルス研究所における活動」と題する概況報告書（ファクト・シート）を発表している。その中では、新型コロナの集団感染が武漢の海鮮市場で確認されるより前に、同ウイルス研究所の複数の研究者が類似の症状を呈し病院で治療を受けていたことや、既存のウイルスにヒトへの感染力を持たせる「機能獲得」実験を、遅くとも二〇一七年以降、中国軍と共同して行っていた点などが強調された。ところが反トランプ・メディアは、これを「トランプの陰謀論」と一笑に付す態度を取り、真面目に独自取材を行おうとしなかった。中国政府としては大いに息が付けただろう。

かつてソ連の独裁者レーニンは、西側の平和主義者を指して「役に立つバカ者」と呼んだ。トランプ憎しに凝り固まり、その足を引っ張ることしか考えないアメリカの主流メディアを、習近平《しゅうきんぺい》も側近たちと密かにそう呼び合い、酒の肴《さかな》にしたのではないか。

その後、研究所漏洩《ろうえい》説が有力科学者らから次々唱えられ、バイデン大統領が情報機関に再検証を命じた二〇二一年五月に至って、ようやくメディアは、事実関係にも目を向けるようになった。この間、中共としては、一年半以上、国際的な責任追及を免れ、証拠隠滅に専念できたことになる。

反トランプ報道の顔の一人で、ただしあくどさにおいては比較的ましなABCニュースのジョナサン・カール（ホワイトハウス担当主任）は「多くの人間が間抜け面をさらすことになった。トランプが言うことの中にも真実はあると分かった」と、負け惜しみ交じりではあるが、報道姿勢の誤りを認めている（五月三十日）。

しかし、理不尽にトランプを叩き続けたことへの謝罪の言葉はなかった。メディアにとっては結局、真実の追求よりもトランプに痛手を負わせることの方が重要だったのである。その点、おそらく何の反省もしていないだろう。彼らにとって最大の使命だったトランプ再選阻止が実現できた以上、残余は些事《さじ》に過ぎないのである。

主流メディアの正体は「民主党・メディア複合体」

「メディアは国民の敵だ」。トランプ前大統領が怒りを込めて繰り返した言葉である。無論あらゆるメディアが敵というわけではない。トランプを含む米保守派が、より批判対象を限定して用いる言葉が「主流メディア」である。

新聞、テレビの世界で圧倒的な数的優位に立つ、民主党支持の進歩派マスコミ企業群を指す。民主党と一体であることを強調した、「民主党・メディア複合体」(Democrat Media Complex) という表現もよく目にする。

主流メディアは、英語で表すとメインストリーム・メディア (Mainstream Media) だが、さらに侮蔑《ぶべつ》感を出したい人は、ストリームをスクリーム (scream 叫ぶ) に置き換えてメインスクリーム・メディア (主叫喚メディア)、あるいはメインをレイム (lame ダサい) に置き換えてレイムストリーム・メディアなどとも言う。

トランプが主流メディアを非難して連日発した「フェイク・ニュース」(偽造ニュース) も今

や国際的市民権を持つ用語となった。

新聞のニューヨーク・タイムズ、ワシントン・ポスト、テレビの三大ネットワーク（ABC、NBC、CBS）、ケーブル・ニュースのCNN、MSNBCが米主流メディアの代表格である。通信社のAPも同じ傾向にあり、主流メディアの一角と見なしうる。

なお民主党最左派のバーニー・サンダース上院議員や弟子で極左のホープ、アレクサンドリア・オカシオコルテス下院議員などは、主流メディアが十分に左翼的でなく、アメリカの既存エリート層（エスタブリッシュメント）に奉仕する営利企業に過ぎないという意味で、侮蔑感を込めて「企業メディア」（corporate media）と呼ぶのを常とする。

特にワシントン・ポストについては、アマゾンの創業者で世界的富豪のジェフ・ベゾスがオーナーのため、従業員を搾取する悪徳資本家が進歩的仮面をかぶるための偽善的装置に過ぎないとして、しばしば極左の攻撃対象となってきた。

なお日本も、新聞、テレビ、通信社のほとんどが型にはまった進歩的スタンスを取っており、メディア事情はアメリカとさして変わらない。

進歩的な米主流メディアが流すニュースや解説を、進歩的な日本のメディアがより単純化して受け売りする以上、著しく歪《ゆが》んだ内容になるのも当然だろう。

もっとも、米主流メディアが「トランプ錯乱症候群」に陥ってからも無批判に受け売りを続けたため、日本のアメリカ報道は、かつてなく現実から遊離し、Ｂ級プロパガンダ小説の児童用解説版を思わせるレベルのものとなった。

トランプへの「フェイク・ニュース」

米主流メディアは、「トランプはネオナチを支持基盤とする差別主義者」というイメージを定着させることにも力を尽くした。

しかし実際には、黒人層におけるトランプの支持率は相対的に高かった。メディアのトランプ叩きと反比例する形で上昇し続け、黒人は九割以上が民主党に投票すると言われてきた中で、進歩派の全米黒人地位向上協会（ＮＡＡＣＰ）が行った調査でも、コロナ禍直前の時点で、黒人の二一パーセントがトランプを支持すると答えている（二〇一九年末）。主流メディアにとっては、あってはならない「不都合な真実」であった。

減税、規制緩和、国産化石エネルギーの積極活用などトランプが打ち出した政策が好景気を生み、黒人の失業率を史上最低水準まで下げたことが大きかったと言える。不法移民の流入阻止に努めたことも、職において競合する黒人たちにはプラスに働いた。

コロナ禍による大不況と、コロナ禍を理由とした郵便投票の大々的導入（本人確認が難しく不正につながりやすい）がなければ、おそらくトランプは、黒人層のかなりの支持も得て再選を果たしただろう。

なおトランプがネオナチと共闘しているという議論がいかに荒唐無稽《こうとうむけい》かは、娘婿のジャレッド・クシュナーがユダヤ人で、娘のイバンカも夫に合わせてユダヤ教に改宗しているという事実一つ取っても明らかである（三人の孫たちももちろんユダヤ教徒）。


主流メディアやバイデンはじめ民主党側が、トランプ＝差別主義者説の「証拠」として飽かずに持ち出すのが、シャーロッツビル事件である。

二〇一七年八月十二日、バージニア州シャーロッツビルで、南北戦争の南軍司令官ロバート・リーの銅像撤去をめぐって賛成派と反対派が揉《も》み合いとなり、賛成派の女性一人が突っ込んできた車に引かれて死亡した。犯人は直後に逮捕され、終身刑判決を受けている。

この事件についてトランプは記者団に次のように語った。

「銅像撤去に反対したグループには非常に悪い人々がいた。しかし双方に、非常によい人々もいた。……私はネオナチや白人至上主義者の話をしているのではない。彼らは完全に非難されねばならない。しかしネオナチや白人至上主義者以外の人々も多くいた。メディアは彼らを全く不当に扱っている。撤去賛成派にも、よい人々もいれば揉め事を起こすタイプもいた。黒い服装にヘルメット、野球のバットを持った人々がいた。そういう悪い人間も多くいた」

これは状況の、特に問題のない描写である。「黒い服装」は二〇二〇年に「差別への抗議」を隠れ蓑《みの》に数々の暴力行為を働いた極左過激派アンティファのユニフォームとしても知られる。

ところがこのコメントは以後、「トランプのネオナチ、白人至上主義者擁護発言」として民主党・メディア複合体に繰り返し政治利用された。「彼らは完全に非難されねばならない」とトランプが明言しているにもかかわらず、である。これをトランプがフェイク・ニュースと呼ぶのも当然だろう。

なお南軍のリー将軍は、長く南部の人々が子供たちに敢闘精神を教える際の象徴的存在だった。第一次、第二次世界大戦はじめ、南部出身者も多く米軍の一員として戦い、命を落とした。その敢闘精神を支えた人物を、単なる人種差別主義者として切り捨てるのは侮辱と考える人々がいても不思議はない。

そしてリーは、南北が分かれて戦うに至るまで、三十年以上、合衆国陸軍で軍務に就いていた。アメリカ全体に、軍人として奉仕した期間も長いわけである。

リーの歴史的評価という点でも、左派にも暴力集団が混じっていたという事実の指摘の点でも、上記のトランプ発言に問題なしと考える人が保守派には多かった。

「議事堂乱入事件」はダブル・スタンダードの典型例

ここで、米主流メディアにおけるダブル・スタンダード（二重基準）の典型例を挙げておこう。

二〇二一年一月六日、選挙不正の徹底調査抜きにジョー・バイデンを新大統領と認定してはならないとする「トランプ支持者」の一部が、首都ワシントンでの集会後、折しも認定審議が行われていた連邦議事堂に乱入する事件を起こした。

多くのメディアはこれを、トランプの煽動による「反乱」（insurrection）と表現したが、果たしてそれほどの歴史的な大事態だったか。もちろんドアや窓を破壊し、突入の先陣を切った人々はれっきとした犯罪者であり、その後、公務執行妨害、不法侵入、器物損壊罪等で立件されている。

ただし入り口が開いたのを見て後に続いた人々の多くは、なかば物見遊山気分で行動しており、武器も携行しておらず、刑事訴追の対象とはならなかった（それぞれの職場で処分された人々はいる）。

この乱入事件に随伴ないし便乗しての、警察署襲撃や警察車両への放火、商店の略奪などは一切起こらなかった。

トランプは集会での演説で、このあと議事堂まで行進しようと支持者に促したが、あくまで「平和的に」と念を押している。事件後には、乱入を「明確に非難」し、法と秩序こそが自分たちの運動の核であり、暴力に走る者は真の支持者ではなく、平穏な政権交代への協力を呼び掛けるとした声明を出している（一月十四日）。

集会参加者の一部に関して、その粗雑な性格を見誤った甘さや、事件の一報が入った直後に退去を呼びかけなかった不作為については批判されても仕方がない。しかし「反乱」を煽動したというのは余りに誇張した言い方だろう。

トランプの公約の大きな柱が「法と秩序」であり、最大の支持基盤が警察である点に鑑みても、警察官が被害を受け、同時に責任を問われるような事態をトランプが望むはずがない。

事件は、「トランプ支持」を掲げる一部撥《は》ね上がり分子が、警備が手薄な中で逸脱行為に走り、野次馬的な追随者共々、数時間後に警察力によって排除されたものと総括できる。排除される際、激しく抵抗した者もいない。事件に関連した死者は三人で、議員に死傷者はいない。

バイデン大統領の「わが民主主義に対する、南北戦争以来最悪の攻撃」といった史的評価は明らかな誇張である（二〇二一年四月二十八日の議会演説にて）。ちなみに南北戦争では一一万人以上の戦死者が出ている（戦病者を入れるとさらに数字は膨らむ）。

死者の一人は、事件の翌日に血栓塞栓性脳卒中で亡くなった警察官である。事件のストレスの影響があったにせよ、直接暴徒に殺害されたわけではない。もう一人は「トランプ支持者」の女性で、死因は覚醒剤の過剰摂取による心臓発作との検視結果が出ている。

最も衝撃的な形で命を落としたのは、警察が議事堂内に築いたバリケード・ドアの破られたガラス部分から真っ先にくぐり抜けようとして警察官に肩を撃たれた三十五歳の元空軍兵士である（白人女性。武器は携行せず）。

なお、撃たれた瞬間の動画が広くネットに流れたが、警察に対する復讐《ふくしゅう》暴動などは、ワシントンでも女性の地元でも起こっていない。

同様の状況での発砲死が、もし「人種差別反対」運動中に起こったなら、まず間違いなく「人種偏見に基づく殺人」と喧伝《けんでん》され、何らかの反警察暴動につながっただろう。

実際、二〇二〇年のなかば以降、全米各地に広がった「黒人の命は大事」運動や各種極左集団主導の反警察デモでは、警察官への発砲やひき逃げ、警察署襲撃、商店の略奪放火などが相次ぎ、多数の死傷者が出るとともに、莫大な財産や職が奪われた。

ところが主流メディアは、こうした左派の過激デモについては、「おおむね平和的な抗議活動」（mostly peaceful protest）と表すのが常である。単発かつ数時間で終息した議事堂乱入事件とは比較にならないほどの打撃を社会にもたらしたにもかかわらず、である。

反警察デモにエールを送った多くの進歩派の政治家たちが、トランプ同様に「反乱煽動者」の烙印《らくいん》を押されることもない。

よく用いられる「一部が暴徒化」という表現は、あえて言えば議事堂乱入事件にこそふさわしいだろう。初めから破壊や略奪・放火を目指して動く者たちは本来的に犯罪者であって、平和的なデモ隊の一部が思わず脱線したかのような言い方は不適当である。

なお二〇二一年五月に、民主党多数の下院が、議事堂事件を検証する「一月六日委員会」の設置法案を可決したが、上院では共和党議員の多くが反対し棚ざらしとなった（過半数の賛成はあったが、五分の三の同意がないと法案審議を打ち切って採決に入れない上院独自の院内規則に阻まれた）。

主流メディアはこの展開を、トランプの意向を気にした共和党議員たちが二の足を踏んだと批判的に報じたが、事はそう単純ではない。

法執行機関が裁判を通じて事態を明らかにし、議会でも国土安全保障委員会その他で事件の検証と再発防止策の審議がなされている中、選挙の審判を経ていない「外部有識者」による独立委員会を設け、召喚状の発出権まで与えるのは民主制の理念に照らして問題というのが反対側の主論点であった。

しかも民主党が、調査対象はあくまで「一月六日事件」（議事堂乱入事件）に限り、左翼による数々の暴動事件は取り上げないとしたことも、「政治的動機」に基づくショーだという保守派の批判を高めた。

ともあれこの議事堂乱入事件をめぐる一連の報道も、民主党・メディア複合体版のストーリーを、日本のメディアが単純に受け売りした一例であった。

ポストとタイムズどっちが低次元か

以上はトランプ政権の終幕時に見られた二重基準報道の例だが、こうしたパターンはもちろんトランプが当選する前からはっきり見られた。

品のなさにおいて際立った例を一つ挙げておこう。

二〇一六年十月二十八日、連邦捜査局（ＦＢＩ）のジェームズ・コミー長官が、民主党のヒラリー・クリントン大統領候補の電子メール使用規則違反問題で新たな関係メール群が見つかったとして、一旦打ち切った捜査を再開すると発表した。投票日の約一週間前である。当然、民主党・メディア複合体には、怒りとともに強い衝撃が走った。

ヒラリーの最側近フーマ・アベディンと夫で一時は民主党の新星だったアンソニー・ウィーナー元下院議員のパソコンに残っていたものだという。ウィーナーは、自らを被写体とする猥《わい》褻《せつ》写真を不特定多数の女性（未成年者を含む）に送り付ける行為を繰り返したとして、ＦＢＩの捜査を受けていた。要するに変態である。

この件で特に目を引いたのは、同二十八日付のワシントン・ポストの社説で、「民主的なプロセスに影響を与える可能性を考えると、このタイミングでの発表は不幸だ」とＦＢＩ長官を批判する内容だった。

ところが同紙はその二十日前に当たる十月七日、トランプのセクハラ会話なるものを「衝撃のスクープ」として大々的に報じていた。約十年前の隠し取りテープをポスト紙が温めていたもので、まさに「民主的なプロセスに影響を与える」ため、間もなく期日前投票が始まるというタイミングを計って出したものだった。

「女は俺のようなスターには何でもやらせる」云々《うんぬん》の、下品ではあるが他愛ない内容である。しかし「この会話をどう思うか」とマイクを向けられれば、真面目なイメージを掲げる共和党関係者なら「たいした事ではない」とは言いにくく、「ショックを受けた」「トランプ支持を訴えるのが難しくなった」などと答えざるを得ない。

批判を受けたトランプは、自分は口だけだが、ビル・クリントンは行為にまで及んでいる、どちらが悪質なのかと、いかにもトランプらしい反撃に出た。すると今度はニューヨーク・タイムズが、「トランプに体を触られた」という女性数名の「新証言」を大々的に報じた。いかにも降って湧いたような証言で、いずれも裏付けはなかった。

こうした動きの一方、ポスト、タイムズ両紙とも、大統領選が低次元の中傷合戦に堕しているのは嘆かわしいとする社説を繰り返し掲げている。最も低次元なネタを積極的に供給しておきながら、見事な厚顔ぶりという他ない。

なお、こうした泥仕合が続く中、もう一つ呆《あき》れる「ニュース」があった。NHKが、「ニューヨーク・タイムズ、ヒラリー氏支持を表明」と重要事態扱いで報じたのである。最も党派的な同紙が民主党候補を支持するのは当たり前で、何の新味もない。NHKはいまだにタイムズ紙を「アメリカの良心」とでも考えているのだろうか。

分断を深めたA級戦犯は日米メディア

トランプ政権誕生以降、「トランプが社会を分断した」「対立状況を悪化させた」が、主流メディアの定番的主張だった。しかし実態を見れば、トランプの言動を日々曲解し、揚げ足取りに走り、対立を煽《あお》って社会の分断を深めたのは何より主流メディアであった。

日本で、保守派と進歩派の対立状況をスパイラル的に高めたのが、安倍《あべ》政権の「右翼的姿勢」ではなく、「モリカケ」や「桜を見る会」など、根拠なき、あるいは些末きわまりない

「疑惑」を執拗《しつよう》に追及した朝日新聞以下の左傾メディアであった事情とよく似ている。

民主党のバイデン候補が勝利した二〇二〇年の大統領選でも、米主流メディアの反トランプ、親バイデン姿勢は際立っていた。バイデンの不安定な言動や次男ハンターに絡む職権乱用疑惑をあえて取り上げず、何とかバイデンを無事ゴール地点まで運ぼうと努めた点で「バイデン近衛兵的」とすら言えた。

選挙戦の終盤、保守系のニューヨーク・ポストが、バイデン親子とウクライナ企業および中国企業との不明朗な関係を示す新証拠（ハンターのパソコン・データや知人が提供したメール記録）をスクープしたが、主流メディアは一貫して「報道しない自由」を行使した。

これがトランプ親子に関わる話なら、「世紀の大スキャンダル」扱いで、投票日当日まで休まず大特集を組んだはずである。

実際二〇一七年七月、大統領の長男ドナルド・ジュニアが前年の選挙戦中に、民主党ヒラリー候補に不利な情報の提供を申し出たロシア人女性弁護士と会ったメール記録がリークされたとき、主流メディアは「ロシアとの共謀の決定的証拠」として数週間にわたってキャンペーンを張り、あらゆる角度から分析、解説を加え、苛烈《かれつ》に糾弾した。「国家反逆罪」という言葉まで飛び出している。

確かに、顧問弁護士に任せず、自ら応対したのは不注意だったが、意味ある情報はないと見切って以後は会っていない。

トークラジオの雄ラッシュ・リンボーは、「これが大騒ぎするほどの決定的証拠というなら、結局メディアは、何の証拠も持っていないということだ。ロシアとの共謀など存在しない。メディアは、チキンの糞（chicken excrement）からチキン・サラダを作ろうとしている」と得意の即物的な比喩《ひゆ》で事態を一蹴《いっしゅう》している（リンボーについては、またのちほど詳しく触れる）。


バイデン親子にまつわる職権乱用、汚職疑惑の「もみ消し」に当たっては、幹部に進歩派が多いソーシャル・ネットワーキング・サービス（SNS）大手も、主流メディアに追従して、かなりの役割を果たしている。

ツイッターは、「違法な手段で入手した情報は排除する」との社内ガイドラインに触れる恐れがあるとして、ニューヨーク・ポストのハンター疑惑関連ツイートを封鎖し、閲覧も拡散もできないようにした。

ところが一方、違法以外の手段では入手し得ないトランプの税務資料をスクープしたニューヨーク・タイムズの記事については、関連ツイートを放置し、自由な拡散を許した。これまた露骨な二重基準であった。

その後、先に触れた議事堂乱入事件を受けて、ツイッターは、「さらに暴力を煽る恐れがある」として、トランプのアカウントを永久凍結とした（二〇二一年一月八日）。

トランプがバイデンの大統領就任式に出ないと発信したことが、「支持者らの多くに、選挙が正当でなかったさらなる確証と受け止められている」ため、ツイッターの「暴力賛美を排除する方針」に違反すると判断したのだという。就任式のボイコットが「暴力賛美」に当たるとは相当無理な理屈である。

すでに二〇二〇年五月、トランプが左翼の「差別反対デモ」に便乗した略奪行為を牽制《けんせい》するため、軍の投入を示唆し、「略奪が始まるとき射撃が始まる」（when the looting starts, the shooting starts）と発信した際も、ツイッターは暴力を煽る内容だとして、アカウント閉鎖の警告を発した。しかし常識的には、一般の商店を略奪から守るため、大統領が治安維持の決意を示すのは、暴力ではなく、暴力の抑止だろう。

一方で、煽動的な虚言に満ちたイランの独裁者や中共報道官、その他左派政治家のツイートは、一片の注意すら与えずに黙認されている。これも分かりやすい二重基準である。トランプも、最後のツイートとなった永久凍結当日の一文に、「ツイッターは世界最悪の人々が自由に発信する極左サイトを後押ししている」と書き込んでいる。

公正な報道よりも出世が重要なジャーナリスト

ではこうした露骨な偏向ないし二重基準が、なぜ広く主流メディアに見られるのか。その背後には構造的な理由がある。

アメリカでは、「公正でバランスの取れた」報道ではなく、進歩派的な政策の実現を目的としてジャーナリズムの世界に入ってくる者が多い。そうした感覚を醸成するものとして、左に偏向した大学教育の存在がある（米大学の社会科学系教員における民主党員と共和党員の比率は約七対一。世間一般ではほぼ一対一である事実に鑑みれば偏向具合が分かる）。

十三歳で北朝鮮を脱出し、中国で性奴隷扱いされるなど苦難を経て、二〇一六年からニューヨークの名門コロンビア大学で学ぶパク・ヨンミ（一九九四年生）の貴重な証言がある（二〇二一年六月、FOXを皮切りに様々なメディアがインタビュー）。自由なアメリカに期待を膨らませてきたが、多くの授業は、学生が自らの頭で考える力を奪い、いかに白人男性が差別主義者で人類の敵かを教え、ひたすら左翼イデオロギーを注入しようとする非文明的なものだった。

その結果学生たちは、北朝鮮におけるような本当の抑圧を知らずに「白人の抑圧」を語り、自由のありがたみも憲法のありがたみも全く理解できない、モラルを喪失した存在となっていく。結果は完全な混沌である。「彼らはあまりにも洗脳され、目の前に明らかな証拠があっても覚知できない。北朝鮮も狂っていたが、ここまで狂ってはいなかった」とまで述べている。

こうした枠組みの中で、教授から発信力が優秀と評価されたものがメディアの世界に入っていく。

記者やキャスターのキャリアを踏み台に、政権入りを目指す者も、日本に比べて多い。

政策立案作業の大半を各官庁のキャリア官僚が担う日本と異なり、アメリカでは、ホワイトハウスの幹部職はもちろん、各省庁の次官補代理（日本でいえば課長クラス）以上はいわゆる政治任命で、大統領が別の党の人間になると、ほぼ総入れ替えとなる。

新たな幹部職員の相当部分は官僚機構内部ではなく外部から起用される。報道官など広報部門は真っ先に入れ替えられるポジションで、政権と立場が近いメディア関係者は有力な候補となる。

たとえ短期間であっても政権幹部の職に就ければ、元政府高官の肩書を一生使え、その人脈に期待する大企業やシンクタンクから高給で声が掛かる。メディア産業に復帰するとしても、箔《はく》をつけた分、年俸はアップする。

すなわち、進歩派報道人があからさまに打ち出す党派的な言動には、民主党政権で幹部ポジションに就くことを睨《にら》んだ「就職活動」という側面がある。

大学の教授職も、メディアに比べ刺激は少ないが、その分ストレスも少ない、それなりに魅力的な転職先として常に報道関係者の視野に入っている。

先述の通り、米大学の社会科学分野は、日本と同じく、進歩派教員の比率が非常に高い。ジャーナリズム学科など、特にその傾向が強いと言われる。

それゆえ、上昇志向が強い報道人にとっては、いかに進歩派サークル内で「強力な同志」と見られるかが重要であって、「公正中立な報道」などそもそも眼中にないのである。

明らかにフェイクと思われる情報であっても、それを流すことで、政権が対応に時間を取られ、公約の実行を妨げられるなら、躊躇《ちゅうちょ》なく流すことこそ報道倫理に適うという倒錯した発想も、トランプ時代には普通に見られた。

重要な保守系メディア

大手よりも中小に期待

もちろん逆サイドの動きとして、党派的立場を鮮明に打ち出して民主党叩きに邁進《まいしん》する保守系のメディア人もいる。後で触れるスティーブン・バノンなど、その目立った例である。ただし保守派の民主党叩きは、進歩派の共和党叩きと逆に、大学教授の椅子を確実に遠ざける。また共和党員を雇ってくれるメディアの数はそう多くない（ちなみにホワイトハウス担当記者に共和党員が一人もいない状態は決してまれではない）。

保守系の既存大手メディアでは、ケーブルテレビのFOXニュース、新聞のウォールストリート・ジャーナル、ニューヨーク・ポストが代表的存在と言える。いずれもメディア王ルパート・マードック率いるニュース・コーポレーションの傘下にある。

しかしマードック（一九三一年生）は高齢で、後継者と目される人物群には進歩派も多い。マードックの側近で、ニクソン政権時代からの厚い保守人脈を生かして長年FOXを仕切ったロジャー・エイルズは、セクハラ問題などで二〇一六年に退任に追い込まれた（同時にトランプのメディア顧問に就任。もっとも翌年、七十七歳で死去）。

遠からず、アメリカの大手新聞、テレビは軒並み民主党寄りとなりかねない。そうなれば、情報を大手メディアに頼る姿勢では、ますますアメリカ認識が曇ることになろう。

そこで重要となるのが、中規模以下のメディアである。

まずテレビでは、戦闘的保守派のケーブル放送局として、一九九八年設立のニュースマックス（Newsmax）と二〇一三年設立のワン・アメリカ・ニュース（One America News）がある。

いずれもトランプ支持の立場を鮮明に打ち出し、生え抜きの人気キャスターやFOXから移籍した有名キャスターもいる。ただし企業規模はFOXに比べてかなり小さい。報道機関というより、オピニオン発信機関に近いと言えるかも知れない。

なおNHKは、ABC、CNN、PBSの三社と契約し、BS1で米国製ニュースを流しているが、いずれも進歩派メディアであり、中身は同工異曲である。国民から視聴料を強制徴収している以上、一つはFOX（あるいはニュースマックスかワン・アメリカ・ニュース）と入れ替えて、多様性を確保すべきだろう。まさか、米保守派の意見を日本国民に聴かせまいとしているわけではないだろう。

特殊部隊的な「ブライトバート・ニュース」

新聞（ネット中心のものも含む）では、親トランプ路線のワシントン・エグザミナー（Washington Examiner）やブライトバート・ニュース（Breitbart News Network）が一定の存在感を示している。独自の人脈を生かしてのスクープ記事も多い。大手新聞が総合的作戦を展開する師団編成の正規部隊とすれば、これらは特定の目標に斬《き》り込むことを任務とする特殊部隊的なメディアと言えよう。

ブライトバートは、政治報道界の風雲児アンドリュー・ブライトバート（一九六九―二〇一二）が創設したニュース・サイトである。進歩派議員の不正やスキャンダルを追及して失脚に追い込むなどで急速に注目を集めた。しかしブライトバート自身は心臓発作に襲われ、四十三歳の若さで急逝する。その後はスティーブン・バノン（一九五三年生）が運営の中心となった。

バノンは二十代を海軍士官として過ごし、その後金融大手のゴールドマン・サックスに入社、映画・メディア産業のプロデューサーに転じた後、ブライトバートの運営に参加した。二〇一六年の大統領選では、当初からトランプ支持の論陣を張り、選挙戦終盤には、トランプ陣営の選対本部長に抜擢《ばってき》された。トランプ政権発足後は、新設の首席戦略官（兼上級顧問）としてホワイトハウス入りし、一躍世界的に注目される存在となる。

しかしバノンは、元々言葉遣いがラフで、偽悪的な振る舞いを好むなど安定性に欠ける面があり、トランプ親子との行き違いも高じて、就任わずか半年余りの二〇一七年八月に政権を去った。

その後バノンは、「国境の壁」建設を巡る汚職容疑で起訴されるなど波乱に見舞われたが、トランプが退任直前に恩赦を与えたことで、危うく難を逃れた。

なおブライトバート・ニュースの若手編集主幹アレックス・マーロウ（一九八六年生）が、二〇二一年五月、米メディアの体質に鋭く斬り込んだ『ニュースを解読する――既存エリート・メディアの隠れた取引と秘めた腐敗を白日のもとに晒《さら》す』を出版し、その遠慮ない実名批判もあって話題を呼んだ（Alex Marlow, *Breaking the News: Exposing the Establishment Media's Hidden Deals and Secret Corruption*）。

同書でマーロウは、かつての上司バノンにも触れている。

「バノンはしばしば生産的で通常圧倒的な天才と魅力を持つが、全く不正確な話をするときでも断定調で語るきらいがある」

並外れた知力を持つが、ムラがあり、ハッタリに走りがちという意味だろう。よく分かる評言である。

ここでブライトバート・ニュースのスタンスをよく示す、しかも日本を引き合いに出した興味深い記事があるので紹介しておこう（二〇一六年七月一日付）。「日本の最高裁、イスラム教徒に対する特別監視を支持」と題したレポートで、後で触れる保守系トークラジオの世界でも、共感をもって広く紹介された。

記事が取り上げたのは同年五月三十一日の最高裁決定である。

その要点は、「警視庁公安部の内部資料とされる国際テロ捜査情報がインターネット上に流出し、プライバシー侵害などとして、イスラム教徒一七人が国と東京都に損害賠償を求める訴訟を起こした。最高裁は、情報流出の違法と過失を認めて都に賠償金支払いを命じた一、二審判決を支持しつつ、公安部の情報収集は憲法違反と原告側が主張した部分については退けた」というものである。

米保守派が注目したのは、「公安部の情報収集」を合憲とした最後の部分である。この裁判で原告は、①モスクの監視は信教の自由を侵害する、②イスラム教徒というだけで個人情報を収集するのは信仰を理由とした差別に当たると主張した。

これに対し最高裁は、モスクの監視や個人情報の収集はテロ対策のため必要であり、かつイスラム教徒側の不利益は嫌悪感にとどまるゆえ、憲法違反には当たらないと判断したわけである。

さてブライトバートの記事は次のように言う。

「日本はイスラム過激派による殺戮《さつりく》に一度も晒されていない。テロ防止に関し日本をモデルと称える人々もいる。日本は移民についても、経歴の精査など厳しい基準を採用してきた」

そして、「最も興味深いのは、イスラムを否定的事象（テロ）と関連づけることに、何ら弁解や謝罪の必要を感じない日本の姿勢だ」とするある専門家のコメントを引いている。

翻ってアメリカでは、公安当局が、イスラム教徒であることを理由に情報収集することを禁じるのみならず、テロの実行犯に多い「若い男性のイスラム教徒」に絞った情報収集でも、「イスラム」を一要素とする以上、宗教差別に当たり許されないとするのが、オバマ政権はじめ進歩派の姿勢であった。

そのため、一般市民も「差別主義者」のレッテルを張られることを恐れ、情報提供をためらいがちになる。結局、こうしたポリコレが善良な市民を危険に晒しているというのがブライトバートの主張であった。

差別問題への取り組みでアメリカに比べ日本は遅れていると説く「識者」が多いが、アメリカを引き合いに日本を論じるなら、こうした保守系メディアの論調にも目を配らねばならない。大きく異なる情景が見えてこよう。


なお、主流メディアの存在感がいまだ圧倒的な進歩派の側においても、特殊部隊的な政治情報紙はある。中でも勢いがあるのは二〇〇七年創設のポリティコ（Politico）で、大手メディアが後追いするような注目記事をよく出す（電子版は無料）。

近年しばしば見られるのは、大手メディアの記者が「完全オフレコ」で政界有力者から得た情報を、まずポリティコの記者に流して書かせ、次いで「ポリティコによれば」と導入部で引用しつつ、大手の広い人脈と取材力を生かした本格的な記事にまとめ上げるというパターンである。

迂回《うかい》ルートを使った「完全オフレコ」破りと言えるが、多くの場合、関係者間に持ちつ持たれつの関係が成立しており、訴訟沙汰《ざた》になることはまずない。

草の根保守に強い影響力を持ったラッシュ・リンボー

一九八〇年代末以降、米保守派の間できわめて重要な意味を持ったメディアがトークラジオである。これはかなりの程度、アメリカ独特の現象と言えよう。明確に主流メディアの情報支配に対抗する意図を持って生まれたものだった。

二〇二〇年秋、トランプ対バイデンの第二回大統領候補討論会が、進行方法をめぐる対立で流れた直後、トランプが代わりに発信の場として選んだのが、ラジオのラッシュ・リンボー・ショーおよびマーク・レヴィン・ショーだった（いずれも電話インタビュー形式）。保守派におけるトークラジオの位置づけが窺《うかが》えよう。

トークラジオの開祖にして最大のレジェンドがラッシュ・リンボー（一九五一―二〇二一）である。長年草の根保守に強い影響力を持ち、草の根保守の感性を言葉にすることにおいて、比類なき才能を発揮した。

二〇二〇年の大統領一般教書演説の場で、トランプが自由大統領勲章（米市民最高の栄誉とされる）をリンボーに授与すると発表し、メラニア夫人が隣席にいたリンボーの首に勲章を掛けたシーンに感動した保守派は多い。

このときすでにリンボーは肺ガンがステージ4まで進み、間近に迫った死を意識しつつ番組を続けている状態だった（前著『3年後に世界が中国を破滅させる』に、「黒人の命は大事」運動に関するリンボーの発言をかなり引用した。参照頂きたい）。

スポーツ・キャスターから出発し、トークラジオでブレークしたリンボーの発言は、草の根保守を通じて共和党の政治家に反響し、しばしば実際政治を動かした。

そのため進歩派メディアも、批判的形ではあるものの、リンボーにたびたび触れざるを得なかった。ちなみに、フェミニズム（女権拡張主義）とナチスを掛け合わせた「フェミナチ」もリンボーが広めた造語の一つである。

ラッシュ・リンボー・ショーは、ロナルド・レーガン政権が放送の規制緩和を進めたのを奇貨として、一九八八年にAMラジオを足場に誕生した。公正やバランスはラジオの世界全体として取ればよく、個々の番組は自由に構成してよいというのが「レーガン保守革命」の発想だった。

リンボーのショーは、基本的にゲストを呼ばず、モノローグ（一人語り）とリスナーとのやり取りだけで、週五日、毎回三時間ずつ、三十年以上続け、視聴者数ナンバーワンの座を譲らなかった。私もその歯に衣着せぬ弾丸トークを随分愛聴し、また愛読した（語りを文字に起こしたものが番組ウェブサイトに掲載された)。

よく通るバリトンの大きな声で、滑舌よく、きわどいブラック・ユーモアを交えて進歩派を叩き、揶揄《やゆ》するリンボーの語りは、女性には眉をひそめる向きもあったものの、男性保守層には圧倒的に支持された。まさに「草の根保守のカリスマ」であった。

リンボーは、進歩派の武器である、真綿で首を締めるような「ポリティカル・コレクトネス」とも正面から闘い続けた(日本での略称はポリコレ。政治的正しさ。言葉狩りはその一面)。この点トランプも、リンボーに大いに鼓舞され、影響を受けた一人である。この二人が特に「ポリコレ憲兵」すなわち進歩派メディアの標的とされたのも無理はない。

トランプとリンボーは、様々な問題で共鳴し合い、共闘してきた。トランプが二〇一六年大統領選への出馬を表明し、ほとんどのメディアや識者が「冗談候補」ないし売名行為と切って捨てていた時期、リンボーは次のように解説していた。

「彼はアメリカの現状を本当に憂えている。オバマが進める国家解体はもちろん、共和党指導部の妥協体質に対し人々が覚える苛立《いらだ》ち、腹の底からの怒りを鮮やかに表現する能力を持っている。笑わせるのもうまい。彼は移民問題で、どの候補よりも踏み込んだ案を提示した。実にすっきりと分かりやすい内容だ」

トランプは、米国籍を取った移民の在外親族が優先的に合法移民となり得る現行法制を批判し、「われわれの福祉システムにただ乗りする者が、汗水垂らして働くアメリカ市民の負担を増やすことがあってはならない」と改廃を主張して、進歩派メディアから「差別的かつ無神経」と一斉攻撃を受けていた。リンボーはこのトランプ発言を「常識にかなったもの」と全面的に擁護している。

「識者」のほとんどがトランプを一過性の泡沫《ほうまつ》候補扱いする中、私はリンボーのこうした発言を聴くことで、トランプは有力候補として残るとの感触を得ることができた。

トランプ、リンボーの別の共闘の例も挙げておこう。

二〇一八年八月十五日、ホワイトハウスは、オバマ政権でCIA長官を務めたジョン・ブレナンの機密情報アクセス権を剥奪《はくだつ》すると発表した。ブレナンは、証拠も提示せずトランプとロシア情報機関との「結託」を断言調で語り、トランプを「国家反逆者」と罵倒《ばとう》するなど、不見識な発言を繰り返していたが、元情報機関の長の肩書があるため、「メディアのお気に入り」(media darling)となっていた。

ホワイトハウスの発表文には、「歴史的に、情報機関と法執行機関の元長官には、礼を尽くすためと同時に、その特別の洞察力を活かして後継者たちに助言できるよう、退任後も機密情報へのアクセスを認めてきた。しかしブレナンの虚言癖とますます錯乱の度を加える言動はこの特権を正当化できないものとした」と厳しい言葉が並んでいる。

このトランプの措置に、進歩派からは、「政敵を辱め、萎縮させようという子供じみた行為」との批判が一斉に上がった。

一方、共和党の保守系議員からは、「そもそも元高官というだけで機密情報にアクセスできる状況がおかしい。議会では、長年情報委員会に属した議員でも退任後は何の特権も与えられない」と理解を示す発言が出ている。

リンボーはより露骨に、「正当に選出された大統領を倒そうと動き回るブレナンのような阿呆（clown）が秘密情報に接してよいといったい法律のどこに書いてあるのか」とトランプの措置を全面的に支持した。ホワイトハウスにとっては力強い援軍となった。

リンボーを筆頭とするトークラジオ・ホストは新しい保守派の世代を育てる上でも功績があった。先に引いたブライトバート・ニュースの編集主幹マーロウはこう述懐している。

「成長とともに、私は、両親が車の中で聴くトークラジオ・ホストたちの非常に理知的で明快な話と、普段メディアで読み、学校で教えられる話とのズレを強く感じ始めていた」

ハリウッドも反トランプ

リンボーが番組を始めた当時、アメリカでもＡＭラジオは消えゆくメディアと見られていた。しかしリンボー・ショーの大成功を機に、AM自体、相当息を吹き返す。一人のスターの出現が旧媒体に新しい生命を与えたという点でも歴史的な現象だった。

以後、リンボーの驥尾《きび》に付して、政局を材に採ったトークラジオ番組が次々誕生していく。興味深いことに新聞、テレビとは逆に、この世界は一貫して保守派が優勢だった。進歩派の話は綺麗《きれい》ごとで退屈な上、わざわざラジオを聴きにいかなくても、新聞、テレビや大学、高校の授業で嫌というほど聞かされるからだろう。

いくつか進歩派のトークラジオも生まれたが、リスナーが付かず長続きしなかった。いまだに語り草となっているのがアレック・ボールドウィンのケースである。

ボールドウィンは、トム・クランシー原作、ショーン・コネリー主演の名作『レッド・オクトーバーを追え』でCIA分析官ジャック・ライアン役を演じた他（これは良かった）、バラエティ番組におけるトランプの下手な物まねでも知られる有名俳優である。

ハリウッド映画界は、プロデューサーのほとんどが進歩派で占められ、「共和党員と分かると役がもらえない」と言われるほど左偏向が激しい。保守派は、ハリウッドのあるロサンジェルス一帯を指して、西海岸ならぬ左海岸（レフト・コースト）と呼ぶ。

多くの監督、俳優がブッシュ批判、トランプ批判を競う中、ボールドウィンもその目立った一人となった。

さて二〇〇六年五月に立ち上げたトークラジオの初回、ボールドウィンはしばらくモノローグを続けたのち、リスナーからの電話を受けて次の展開に入ろうとした。ところが、繰り返し電話番号をアナウンスしても誰も掛けてこない。スタジオ全体が凍り付き始めた頃、ようやく一人の女性から電話が入った。しかしそれは息子の窮状を見かねたボールドウィンの母親で、一層惨めさが増す結果になった――。

ハリウッドも事実上、主流メディアの一環と言える。トランプら保守派を誹謗《ひぼう》するフェイク・ニュースがまず流され、俳優や監督がそれに「ショックを受けて」過激なコメントを出し、それを主流メディアが「有名人の衝撃発言」として改めて「ニュース」にするという自己増殖型循環が不断に見られるからである。

メリル・ストリープやベット・ミドラー、バーブラ・ストライサンド、シェールなどが、この循環に組み込まれた反トランプ・スターの代表格と言える（いずれも女優や歌手としては力があり、私もファンだが）。

マーク・レヴィンと『報道の不自由』

こうした米主流メディアのあり方を、歴史的視野で論じた好著にマーク・レヴィンの『報道の不自由』がある（Mark Levin, *Unfreedom of Press*, 2019）。

レヴィンはラジオやFOXテレビのトーク番組で活躍する評論家で、名誉棄損ぎりぎりの激辛毒舌で知られ、進歩派からは蛇蝎《だかつ》のごとく嫌われている。それだけに、アメリカの論争状況とその中での保守派の立ち位置を知る上で逸せない存在である。マーク・レヴィン・ショーはポッドキャストに登録しておくと毎日スマホに配信されるので、日本でも聴ける（無料）。

ちなみにレヴィンは、ニューヨーク・タイムズを常にニューヨーク・スライムズ、ワシントン・ポストをワシントン・コン・ポストと呼ぶ。スライム（slime）はヘドロ、コン（con）はペテン師を指す。

以下、レヴィンの経歴を簡単に記しておこう。

一九五七年、ペンシルベニア州フィラデルフィアのユダヤ系の家庭に生まれ、名門テンプル大学の法科大学院を修了、憲法訴訟の専門家として弁護士業務に従事した後、レーガン政権で司法長官首席補佐官を務めた。

民間に戻って後は、進歩派との法廷闘争のために設立されたランドマーク法律財団（Landmark Legal Foundation）の中心メンバーとして活動した。朝日新聞はじめ左翼勢力が批判封じのため、盛んにスラップ訴訟（威圧目的訴訟）に走る中、日本でも、しかるべき財政基盤を持つ保守派法律家の組織はぜひ必要だろう。

レヴィンは、ジョージ・ワシントンを議長に憲法制定会議が開かれたフィラデルフィアに生まれ育ったこともあり、幼少時から憲法史の研究が趣味だったという。その方面の知見は深く、最初の著書は、歴代の最高裁裁判官を論じた相当専門的なものだった。

彼の名が知れ渡ったのは、やはりトークラジオ・ホストとしてである。月曜から金曜までの週五日、夕刻三時間の番組を二〇〇二年以来続けてきた。独立以前には、ラッシュ・リンボー・ショーの法律担当部長（legal director）を務めており、いわばリンボーの高弟に当たる。

沸々と湧く怒りをグッと抑えるかのようなトーンでつぶやきつつ、突如大音声に転じ、猛然と進歩派を叩く独特のスタイルは、最初は「この男、大丈夫か」と不安になるほどだが、一種の芸と分かった後は、大いに頷《うなず》け、また笑えるものとなる。

リスナーからの電話も受けるが、相手が進歩派と分かると即座に話を遮り、反論に入る。口を挟もうとすると「聞け！　今あなたを教育しているのだ」と撥ねのけ、一方的に論じた挙句、「ＯＫ！　馬鹿者、とっとと失せろ（Get out of here）！」と怒鳴りつけて電話を切る。よく懲りずに掛けてくる進歩派リスナーがいると感心するが、毒舌に火を着けたいがゆえに進歩派を装って掛けてくる人もいるのかも知れない。

もちろん保守派リスナーの体験談や意見には真剣に耳を傾けるが、必要に応じて遠慮なく異論を唱える。長期にわたって人気番組となっている所以《ゆえん》だろう。

以前はよく、トランプ政権で大統領安保補佐官を務めたジョン・ボルトンがゲスト出演していた。ボルトンがトランプ批判に転じて以降は疎遠になったが。

レヴィンのショーから、トークラジオならではの発言の例を挙げておこう。

二〇一八年八月、共和党の長老でベトナム戦争の英雄（長期の捕虜生活に耐えた）ジョン・マケイン上院議員が亡くなった。メディアでは党派を超えて追悼の声が溢《あふ》れた。一匹狼（maverick）と言われ、造反を恐れない人だった。ただ問題は造反の方向である。

マケインは、戦争屋と揶揄されるほど、海外における軍事力行使に積極的だったが、内政問題では進歩派と同一歩調を取ることが多く、トランプ大統領の言動が問題になるたびに否定的なコメントを出した。そのため、「身内からのトランプ批判」が欲しい主流メディアは、頻繁にマケインを画面や誌面に登場させた。

トランプの「余計な発言」に眉を顰《ひそ》めつつ、政策の方向性と政治家としての突破力は評価し、共闘姿勢を取っていた多くの共和党員の目には、マケインは「一匹狼」というより「一人いい子になる存在」と映った。

レヴィンは、マケインの業績を讃え、死を惜しむ言葉がメディアに満ちる中、あえて「マケインは立派な兵士だったが、駄目な（lousy）上院議員だった」と総括している。

長く上院軍事委員会の重鎮で、日米同盟に理解が深かったマケインだが、保守派における評価は微妙である。その点、最も忌憚《きたん》ない議論が聞かれたのはトークラジオの世界だった。

政治家やブレーンが発信するユーチューブやＳＮＳはアメリカでも重要度を増している。トークラジオの黄金期はリンボーの死とともに過ぎ去ったかも知れない。リンボーを聴けばアメリカ保守が分かると言われた時代は、物理的に、間違いなく終わった。

主流メディアが「あのリンボーがまた暴言」という形で、保守の本音を伝えることもなくなった。

リンボーを師と仰ぐ人々は今も様々な場で活躍しているが、保守派の本音を探るには、以前より広く網を張らねばならなくなったと言える。

ひと言でいえば、アメリカ情報を主流メディアに頼るのは、日本に関する情報を朝日新聞やＮＨＫに頼るのと同じである。進歩派事情には詳しくなるだろうが、バランスの取れた認識には行きつかない。少なくともそういう人々をアメリカ専門家や日本専門家と見なすことはできないだろう。

日本のメディア

問題が多いNHKのアメリカ報道

最後に、日本における問題あるアメリカ報道の例をいくつか挙げておこう。まずは、二〇一七年十二月二十一日のNHKニュースである。

トランプ大統領が「歴史的な勝利」とする税制改革法案が米議会で可決されたと報じる中でNHKは、「市場関係者や産業界からは歓迎する声が上がる一方、国民の間では批判の声が多い」とコメントを加えた。

減税だけでなく、官製医療保険制度（オバマケア）への加入義務廃止なども含む複雑な法案だけに、部分的賛成、反対を含め、米国民の反応は複雑だった。一概に「歓迎」と「批判」とに分けることはできない。もっとも、総じてこの複合法案に盛られた内容を公約とした共和党が前年の選挙で上下両院において多数を得た事実がある。にもかかわらず、NHKは「国民の間で批判が多い」と総括する。いったいその根拠はどこにあるのか。「市場関係者や産業界」

と「国民」を対立図式で捉えるのもいかにも左翼的である。そして言うまでもなく、前者も個人においては後者の一部をなす。

結局、反トランプ的な米主流メディアの解説を受け売りしたに過ぎないわけだろう。

続いて、同じくNHKが看板番組「7時のニュース」のトップで大きく取り上げた「移民の七歳少女 アメリカで拘束後に死亡」を見ておこう（二〇一八年十二月十六日放送）。

まるでトランプの命令を受けた米当局が死に追いやったと言わんばかりの表現で、約束事のようにトランプ批判に結びつける展開も安手の社会派ドラマ並みであった。

ニュースは冒頭、「中米のグアテマラからアメリカへの入国を目指して家族とともに国境を越えた七歳の少女が、アメリカの当局に拘束されたあと体調不良を訴え、死亡しました。移民に対して厳しい姿勢をとり続けるトランプ大統領への批判が一層高まりそうです」と言う。

まず疑問なのは、移民という言葉の使い方である。トランプが「厳しい姿勢」を取ったのはあくまで「不法移民」にであって「移民」全般にではない。トランプ時代の四年間を通じて、合法移民と不法移民を（おそらく意識的に）混同して報じるのは、NHK不動のパターンだった。

少女は、他の不法越境者一六〇人余りとともに米国境警備当局に拘束されたが、不幸にも高熱を発して二日後に亡くなった。

ＮＨＫの語りでは、あたかも拘束後に虐待か冷酷な放置でもあったかのように響くが、実際には、米当局は少女を病院に搬送して治療に当たっている。

そして少女以外に死者は出ていない。ところがＮＨＫは、なぜその少女だけが死亡したのかの検証もないまま、「少女の死をきっかけにトランプ大統領への批判が一層高まりそうです」と予想して見せる。

全体像抜きに、部分に焦点を当てて感情操作に走るのもＮＨＫニュースの特徴である。

「グアテマラに残っていた母親や祖父らは十五日、メディアの取材に応じ、このうち母親は『娘は病院で一緒にいた父親の目の前で息をひきとりましたが、父親は何もすることができませんでした』とつらい胸のうちを明かしました。ジャクリンちゃん（少女の名）は、父親を一人にさせたくないという理由で三〇〇〇キロ以上離れたアメリカを一緒に目指すことを決意したということです。そして、ジャクリンちゃんは、父親がアメリカで仕事を見つけて、ふるさとに残してきた三人のきょうだいなど、生活に苦しむ家族に送金するのを楽しみにしていたということです」

一家の不幸には誰しも同情を禁じ得ない。しかしその先において、ＮＨＫはいったい何を言いたいのだろうか。アメリカは不法移民を無制限に受け入れよと主張したいのか。それなら、もし米側が「では不法移民を全員船に乗せて送るから日本が受け入れろ」と開き直った場合、どう応答するつもりなのか。

実際、カナダの閣僚がトランプ政権の不法移民対応は人道的でないと示唆する発言をしたとき、米トークラジオの世界では、「ではカナダ国境までバスで全員送るからカナダが人道的に対処しろ」と応酬する怒声が聞かれた。

アメリカには、一一〇〇万人以上の不法移民がいると言われる。その一〇分の一が日本に移送されるだけでも特大のパニックになるだろう。

またアメリカの場合、合法移民の申請窓口に常時長い列ができている。不法移民に滞在を許せば、「ヨコはいり」を認めることになり、その意味でも秩序を乱す。

安全地帯から「人道」を振りかざし、嘆いてみせるＮＨＫ流の報道は、総合的なアメリカ理解を妨げるだけである。

状況が深刻なだけに、アメリカでは不法移民に関して、日本とは比較にならないほど踏み込んだ議論が行われてきた。ＮＨＫニュースは、その表層を撫《な》でるレベルにも達していない。

国境問題混乱で逃げるバイデン・ハリス

もっともNHKも、いつも米主流メディアの二番煎《せん》じに甘んじているわけではない。時にはかなりの費用と時間を掛けて現地取材を行い、独自のドキュメンタリー番組を作っている。ところが多くの場合、普段のニュース以上にアメリカの現実からかけ離れた内容に終わっている。

NHK特集「アリゾナ 不法移民ハイウェイ 荒野の攻防戦」がその好い例である（二〇一八年七月十五日放送）。

まず制作スタッフによる番組紹介から引いておこう。

「アリゾナ州南部、メキシコ国境から北に広がる荒野は〝不法移民ハイウェイ〟と呼ばれている。ここを年間三〇万人の不法移民が通過するのだ。不法移民に厳しい姿勢をとるトランプ大統領就任以来、この荒野を舞台に不法移民を巡る争いが激化した。大型銃を手に不法移民の取締りに乗り出す民兵。一方、渇きで死の危険に直面する不法移民に飲料水を提供する人々もいる。不法移民の排除か保護か。移民問題に揺れるアメリカをみつめる」

映像自体は種々参考になり、見終わって、決して時間の無駄とは感じなかった。しかしナレーションの偏向がいかにもひどい。不法越境を防止する試みを、一貫して「悪」と捉える姿勢なのである。

警備に当たる現地の住民ボランティアが、越境ルートについて冷静に語る場面でも、発言の中のtheyをわざわざ「あいつら」と訳す。

そして、「トランプ大統領が移民への憎しみを増幅させている」と、この現地取材からは何ら導き出せない解説を唐突に挿入してくる。

現地で警戒対象とされているのは、中南米出身者一般でも移民一般でもなく、あくまで不法越境者である。その中には麻薬カルテルのメンバーやその他の凶悪犯罪予備軍も含まれている。ジャクリンちゃんのような無邪気な少女ばかりではない。

実際、メキシコ政府が麻薬カルテル撲滅に軍を動員した二〇〇六年以降、カルテル側も「政府協力者」への報復をエスカレートさせ、全国で三〇万人以上が殺害されている（二〇二一年五月現在）。そうした殺人犯が国境地帯に潜み、米側に逃亡する機会を窺う。それゆえメキシコ側でも、住人による武装自警団が組織されてきた。こうした国境の向こう側の動きも、トランプが「憎しみを増幅させた」せいだと言うのだろうか。

ＮＨＫの現地ルポは国境の片方、しかもその表面のごく一部を切り取ったものに過ぎない。反トランプ・イデオロギーに囚われたため、ごく一部しか見えなかったと言ってもよい。

ＮＨＫのアメリカ報道だけ観ていると確実にアメリカ認識を誤ると改めて実感させる番組だった。

国境問題ではその後、二〇二一年一月に発足したバイデン政権が、難民申請者は国境のメキシコ側で審査の順を待つとしたトランプ政権の対応を非人道的と批判し、とりあえずの入国を認めたため、堰《せき》を切ったように「難民」が流入して国境管理が崩壊、収容施設もパンクして、そのまま姿を消す人も多数出た。

しかし、バイデンの失態を報じたくない民主党支持の主流メディアは政府に現地取材を強く求めず、共和党議員団が職権で強行視察した際に撮った超過密状態の収容施設映像がＳＮＳに流れたのみだった。

また、バイデンが国境危機担当に任命した副大統領カマラ・ハリスは、失政の顔にされたくないため、現地視察と記者会見から延々と逃げ続け、たまに番記者からやんわり質問を受けても、空虚な高笑いで誤魔化す得意の対応を繰り返した。番記者の方も追従笑いで応じ、それ以上追及はしない。

もはや呆れる気さえ起こらない、民主党・メディア複合体のなれ合いを戯画的なまでに示す光景であった。

これがトランプなら、記者団から行く先々で怒号が飛び、新聞・テレビは連日、その犯罪的無責任を糾弾し、弾劾を求める声で溢れたはずである。

バイデンは不安定、ハリスは力がないため、主流メディアは、ボロが出ないよう異様に気を遣う。トランプ時代とのコントラストは余りに鮮やかであった（トランプが国境地帯視察を打ち出したのを受け、その前に訪問しないとまずいと感じたらしいハリスは、二〇二一年六月二十六日、ようやく、比較的落ち着いた国境の町を視察した）。

第2章

一触即発！
アメリカ「冷内戦」

バイデンの正体

レーガンやトランプの突破力はない

二〇二一年一月二十日、民主党の長老政治家ジョー・バイデンが第四六代アメリカ合衆国大統領に就任した。一九四二年十一月二十日生まれで就任時七十八歳、歴代最高齢でのホワイトハウス入りであった。

外交通にして、アメリカの分断を癒す「偉大なる統合者」（great unifer）というのがバイデンの自画像だが、これは限りなく虚像に近い。

確かに、気さくで陰謀体質とは無縁という長所はある。しかし構想力と決断力に欠け、失言と露骨に党派的な言動で分断を煽《あお》る人物というのが、彼を知る多くの人々の評価である。

もっともバイデンは、二〇二〇年の民主党大統領予備選でライバルだったバーニー・サンダース上院議員（二〇二一年一月から上院予算委員長）のような筋金入りの左翼でも軍事非介入主義者でもない。

彼の立ち位置は、議会民主党と主流メディア（すなわち第1章で触れた民主党・メディア複合体）の動向次第といえ、強い信念で周りを引っ張っていくタイプではない。軸が三〇度程度左に傾いた風見鶏、というのが適切な評価だろう。

かつてソ連崩壊を主導したロナルド・レーガン大統領は、バイデン上院議員（当時）について、日記に次のように記している（一九八七年六月十五日）。

（ブッシュ副大統領らと）今、大統領選に出馬しているバイデン上院議員について若干話した。昨晩、ハーバード大学のジョン・F・ケネディ・スクールで彼が話している様子をCNNで見た。弁舌さわやかだが純粋なデマゴーグ（煽動屋《せんどうや》）だ。レーガン・ドクトリンからアメリカを救うために立ち上がったそうだ。

「弁舌さわやかだが純粋なデマゴーグ」という評は的を射ているだろう。なお、ここでいうレーガン・ドクトリンとは、「あらゆる地域において、ソ連の侵略をはねのけ、生来の権利を守るため命を懸けている人々に対し、信義にもとる行動を取ってはならない」との言葉に集約される対ソ全面締め付け路線を指す（一九八五年のレーガン一般教書演説）。

レーガンの反共主義は、第二次大戦後まもなく、俳優組合の委員長として、ハリウッド乗っ取りを図る共産主義勢力と日々戦った経験に由来する筋金入りのものである。よくレーガンをB級映画の俳優上がりと揶揄《やゆ》する人がいるが、反共労組のリーダーだったという点が重要である（レーガン自身、私は「組合出身の初の大統領」をジョークとした）。

トランプには、どんな相手とも平気でディール（取引）するが、寝首を掻《か》くような行為は絶対に許さない、「トランプを騙《だま》せばこんなひどい目に遭うのかと皆が震え上がるように、公開の場で叩きのめす」という、生き馬の目を抜くマンハッタン不動産市場で身に着けた「路上哲学」があった。それが習近平に対して、加速度的に厳しさを増す対応につながった。

若い頃から、民主党・メディア複合体に心地よく包まれ、アメリカの最上級サロンと言われる上院で暮らしてきたバイデンには、レーガンやトランプに見られるような、突破力を生む異端的要素はない。

酷評するオバマ

政策実行者としてのバイデンの力（あるいは力のなさ）を最もよく知るのは、彼を副大統領に起用して八年間を共にしたバラク・オバマ元大統領だろう。オバマのバイデン評をその回顧録に見てみよう（Barack Obama, *A Promised Land*, 2020）。

二〇〇八年、まだ上院議員一期目だった四十七歳のオバマが、大本命のヒラリー・クリントンを破って民主党の大統領候補となり、余勢を駆って本選挙でも共和党のベテラン上院議員ジョン・マケインを振り切り、ホワイトハウス入りを果たした。

その戦いの前半期、民主党の候補者討論会で司会者から「就任一年目に、イランのアフマディネジャド（大統領）や北朝鮮の金正日《キムジョンイル》らと会う用意はあるか」と聞かれたオバマは、即座に「イエス。それがアメリカの国益に適うなら」と答えた。

これに対してバイデンを含む他のベテラン候補から、「オバマはナイーブだ。外交を知らない」と一斉に批難の声が上がった。

数日後、オバマは演説で、「もし私がパキスタン領内で（九・一一同時多発テロの首謀者）オサマ・ビンラディンに遭遇し、パキスタン政府が彼を拘束あるいは殺害しようとしない、あるいは出来ないと分かったなら、私は自ら引き金を引く」と力強く宣言した。

この発言も直ちにバイデンらによって俎上《そじょう》に載せられ、いきがった幼い発言であり、「大統領になる準備ができていない」との批判を浴びた。

こうした議論に対し、オバマは回顧録で次のように反論している。

当時アメリカ政府は「二重のフィクション」に固執していた。一つは、テロとの戦争でパキスタンが信頼できるパートナーだというフィクション、もう一つは、テロリストを、パキスタン政府の許可なくその領内まで追撃するのは許されないという自縄自縛フィクションである。これらは、ワシントンの外交エスタブリッシュメント（既存エリート層）がいかに本末転倒した観念に囚われていたかを示している。外交オプションを試みもせず軍事行動に出る一方、まさに行動が必要なときに、ひたすら上品な外交慣例を守ろうとする。

大統領就任後、オバマは実際、パキスタン領内における（パキスタン政府に知らせない形での）ビンラディン除去作戦にゴーサインを出した。しかし副大統領のバイデンは、失敗した場合の政治的打撃が大きいと最後まで慎重論を唱えた。この両者の相違は、すでに政権発足の前に顕在化していたと言える。

ではなぜオバマは、使い物にならないと軽侮する既存エリートの代表というべきバイデンを副大統領候補に選んだのか。

心情的には、気心の知れた若いバージニア州知事のティム・ケイン（一九五八年生）を起用したかったという。ケインは全国の知事中、最も早くオバマ支持を打ち出し、応援演説に汗をかいてもいた。政治姿勢もオバマ政権に「まさにぴったり」の人材だった（ちなみにケインは、二〇一六年、ヒラリー・クリントン大統領候補の副大統領候補となっている）。

しかし、ともに人権弁護士出身の若い正副大統領候補コンビとなれば、有権者が受け入れ可能な「希望と変化（hope and change）」の範囲を超える恐れがある。そこで、もっぱら選挙戦術として、政治的なバランス重視で選んだのが、オバマより十九歳年上でワシントン・ベルトウェイ（日本の永田町に当たる）の牢名主的存在のバイデンだった（当時は上院外交委員長）。オバマ陣営のキャッチフレーズ、「チェンジ」とはおよそ相容れない人事だったが、副大統領とは往々にしてそういうものと陣営は割り切った。

オバマは回顧録で、バイデンを「心の温かい人間」と称えつつ、「短所」についても率直に記している。

まず話が長い。与えられた時間の少なくとも二倍はしゃべる。頭の中に「フィルターが欠如」していて、思考が散漫である。しかも「マイクの前で自制心を欠く」ため「不必要な論議を招く」、すなわち、失言が多い。

また「スタイルが旧式で、スポットライトを浴びたがり、自己認識を欠く場面が少なくない。しかるべき扱いを受けていないと感じると立腹するきらいがある」とも書く。おざなりに「長所」に触れた後、これだけ「短所」を並べるところを見ると、オバマとしては、相当腹に据えかねる場面があったのだろう。

人種差別を厳しく糾弾するバイデンだが、その実、黒人に関する失言が多い。虐げられた黒人を庇護《ひご》する大物白人政治家という自己意識がつい表に出てしまうためと思われる。

一例を挙げておこう。二〇二〇年大統領選挙中のあるインタビューで、オバマが国交正常化した後、トランプが一転締め付け強化に回ったキューバ独裁政権との関係を、再びオバマ的な宥和《ゆうわ》路線に戻すかと問われたバイデンは「イエス」と答えた後、なぜか話を黒人と中南米人の違いに持っていった（二〇二〇年八月六日）。

ところで、皆さんは知っているが、ほとんどの人が知らないのは、例外はあるものの黒人社会と違ってラテン系社会は何事につけ、信じられないほど多様な態度を持った信じられないほど多様な社会だということだ。

当然、「黒人は多様な発想ができないという意味か、人種偏見ではないか」とトランプ陣営に追及されたバイデンは、しばらく「真意」の説明に追われた。オバマが「スタイルが旧式で、自己認識を欠く」と言うのは、まさにこうした部分だろう。

オバマ回顧録のどこを探しても、政権を共にする中でバイデンを見直したといった記述はない。オバマのバイデン評価は、要するに、一貫して低い。

大統領を退任して三年以上経つ二〇二〇年の時点でも、進歩派サークルにおけるオバマの人気は高かった。しかし同年の大統領選で、オバマは中々バイデンの応援に立とうとしなかった。バイデン自身がコロナ禍を理由にほとんど自宅に引きこもる中、代わって一肌脱ぐだけの動機が見出せなかったのであろう。

「失言王」

なおバイデンは「失言王」（king of gaffes）の異名を取るが、彼の名誉のために付言すれば、総じて嫌味な感じが尾を引く類の失言ではない。典型例を紹介しておこう。

オバマの副大統領候補として遊説中のことである。ある会場に、交通事故で下半身不随となりながら、車椅子で選挙応援に飛び回り、その様子が大きく全米メディアで取り上げられたチャック・グラハム（ミズーリ州議会上院議員）が来ていた。メモでそのことを知らされたバイデンは、大きなジェスチャーと共に声を張り上げた（二〇〇八年九月九日）。

チャック・グラハム議員がここにいると聞いた。立ってくれ、チャック！　みんなに姿を見せてくれ（Stand up Chuck, let 'em see you）。……おう、神よ。私はいったい何を言っているんだ。こういうことだ。あなたは周りのみんなを立たせる人だ。サンキュー。みんな、チャックのために立ってくれ！

こう言いつつ、バイデンは壇を降り、グラハム議員の方に駆け寄った。確かに軽率な発言だが、同時にそれなりに見事なリカバリー・ショットだったとも言える。正負いずれの面でも、いかにもバイデンらしい光景であった。

逆にバイデンの原稿通りの演説は、進歩派的な綺麗《きれい》ごとが並ぶばかりで、瞬時にして眠気を誘う。トランプと違い、バイデン名で出されるツイートも何の面白味もない。

バイデンが大統領として初めて臨んだ議会演説（二〇二一年四月二十八日）は、テレビ視聴者数が二六九〇万人。トランプの四八〇〇万人を大きく下回った（ニールセン発表）。

主流メディアは、トランプを「稀代《きたい》の悪役」に仕立て上げ「トランプで食ってきた」面がある。主要ケーブルニュース三社（CNN、FOX、MSNBC）の平均で、オバマ政権時代にオバマを扱ったニュースが全体の四・九パーセントだったのに対し、トランプの場合は一五パーセントと約三倍の開きがあった。それだけトランプにはニュース性があったわけである。

首尾よくバイデンを大統領に押し上げたものの、万事に古いバイデンでは、視聴率は取れず、広告収入も上がらない。主流メディアとしては、以て瞑《めい》すべしだろう。

ビンラディン除去作戦に反対した慎重派

テロとの戦いにおいて、誰もが認めるオバマ政権最大の成果は、オサマ・ビンラディンの殺害だった（二〇一一年五月二日）。既述の通り、国際テロ組織アルカイダの首領を葬り去ったこの特殊作戦に、バイデンは終始慎重論を唱えた。政治家バイデンの評価に当たって、ここは重要ポイントだろう。

オバマによれば、大統領就任から約四カ月を経た二〇〇九年五月、レオン・パネッタＣＩＡ長官らごく少数の幹部を執務室に集め、「ビンラディン追跡を政権の最優先課題としたい。大統領命令として扱い、意思統一を図ってもらいたい」と指示したという。

オバマが、ビンラディンの除去を最優先と考えたのは、前任者ブッシュのように対テロ戦線をいたずらに拡大すると、泥沼から抜け出せなくなると危惧《きぐ》したためであった。

現に米中枢部を襲い、甚大な被害をもたらした「小規模テロ組織」アルカイダをつぶすことにまず集中せねばならない。

その首魁《しゅかい》たるビンラディンがいまだ自由を謳歌《おうか》している状態は、犠牲者家族を苦しめるのみならず、「アメリカの力に対する愚弄《ぐろう》」ともなっている。彼は生きているだけで世界中の不満分子をテロに引き寄せる「最大のリクルーター」である。何としても除去せねばならない。

これは一個の見識と言えよう。

大統領の指示を受け、活動を強化したＣＩＡからやがて、パキスタン領内のある建物に住み、時々庭に散歩に出る長身の男がビンラディンである「十分な可能性がある」との情報がもたらされる。

オバマは直ちに殺害作戦の準備を命じた。まず浮上したのは、空爆で建物全体を破壊する案である。これなら、アメリカが実行した事実を否定することも可能になる。

しかし、ビンラディンが確かにそこにいて、確かに殺害されたという証拠も爆発と共に消え去ってしまう。飛び散った建物の残骸《ざんがい》やミサイルの破片で近隣にも被害が及びかねない。加えて、四人の成年男性以外に、約五人の女性と二〇人の子供が建物内にいる事実も確認されていた。

オバマは、「当の人物がビンラディンだという確証もない中、三〇人以上の人間を殺害する命令は出せない」と空爆案を退ける。

庭を散策中のビンラディンを、ドローンを使ったピンポイント・ミサイル攻撃で殺害する案も検討された。しかしこの場合も、命中すれば、やはり遺体は識別困難な状態となるし、命中しなければ、危険を察知したビンラディンに逃げられてしまう。その場合、またゼロからのスタートとなる。

そこで採られたのが、特殊部隊による急襲作戦であった。秘密裏に進める必要から、また失敗した場合に大統領の関与を否定する余地を残すため、ＣＩＡが作戦を担当することになった。もっとも突入部隊には統合特殊作戦司令部長隷下の海軍特殊部隊ネイビー・シールズ（の中でもとりわけ精鋭のチーム６）が当てられた。

ＣＩＡにも特殊部隊はあったが、作戦の態様および技能、経験に照らしてネイビー・シールズ・チーム６が最適とパネッタＣＩＡ長官が判断した。その結果、大統領―ＣＩＡ長官―統合特殊作戦司令部長という異例の指揮系統ラインとなった（すなわち国防長官は入らない。政治責任を追及される事態となったとき、ＣＩＡ長官が全てをかぶる含みであった）。コードネームは「海神の槍作戦」（Operation Neptune Spear）と決まる。

以後、標的となる建物の実物大の模型がノースカロライナ州の米軍基地内に作られ、チーム６による襲撃訓練が繰り返された。

この計画を知らされたバイデン副大統領は、失敗を危惧し、「ビンラディンがそこにいるという一層確実な証拠を情報機関が取ってくるまで実行を延期すべき」と唱えた。

失敗とは、特殊部隊員や女性、子供に死傷者を出す一方、ビンラディンを取り逃がしたり、そもそも人違いであったりするケースを指す。バイデンはそれまで、繰り返しテレビカメラの前で、「ビンラディンを地の果てまで追い詰め、正義の鉄槌《てっつい》を下す」と見得を切っていたが、いざ決行となると逡巡《しゅんじゅん》するあたり、「焼き音はするがステーキが出てこない」と評される人らしい。

しかし、人定作業にさらに踏み込むとなれば、それだけ相手に悟られ、逃げられるリスクも高まる。諜報活動の本来的ジレンマである。オバマ政権は、襲撃準備を進める傍ら、気付かれない範囲で情報収集を続けたが、結局、決定的証拠は得られなかった。

突入部隊のバックアップ体制を組み上げていくほどに、作戦の存在を知る者も増えざるを得ない。実行を遅らせれば、それだけ外部に情報が漏れる可能性が高まる。

結局オバマは、バイデンらの慎重論を退けてゴーサインを出した。作戦は見事に成功し、ビンラディンを殺害して遺体を確保、特殊部隊員には一人の死傷者も出さず、撤収を完了した。パソコン類の押収という追加の成果もあった。

このときもし、大統領がバイデンだったら、作戦がずるずると延期される間に情報が漏れ、ビンラディンの逃亡を許したかも知れない。

十年近くの情報活動でようやくビンラディンの居場所を特定し、襲撃準備を整えながら、大統領の不決断ゆえに、絶好の機会を逸した情報機関や特殊部隊においては、大いに士気が下がっただろう。

大統領就任後の二〇二一年四月二十八日、バイデンは議会演説で「米国はビンラディンを裁きにかけた」と語った。また五月二日の作戦十周年声明でも「われわれはビンラディンを地獄の門まで追いかけ、そして、けりを付けた（We followed bin Laden to the gates of hell－and we got him）。われわれは九・一一テロで愛する人を失った全ての人々との約束を守った」と胸を張っている。が、これらの言葉に鼻白んだ人は多い。

日本政府は、バイデンの力強い言葉がそのまま直線的に行動につながると考えてはならないだろう。繰り返し念を押すとともに、土壇場ではしごを外された際の収拾策も用意しておく必要がある。

「和解と癒し」のイメージはあっけなく崩壊

「アメリカに和解と癒しをもたらす大統領」がバイデンのキャッチフレーズだった。しかしわずかにあったかも知れない期待は就任式を待たずに打ち砕かれた。

オバマの指摘通り、バイデンは頭の中に「フィルターが欠如」し、政敵を批判する際、言葉に抑制が効かないタイプである。ナチスに喩《たと》える禁じ手も、しばしば公の場で使う。

まず、選挙不正に関する調査委員会設置を唱えたテッド・クルーズ上院議員（共和党）らを、バイデンは、ナチスの宣伝相ヨゼフ・ゲッペルスになぞらえて非難した。クルーズらは当然強く反発し、ナチスを持ち出すようでは話し合いにならないと「深い失望」を表明している。

さらに、「トランプ支持者」による議事堂乱入事件が起こった直後、アーノルド・シュワルツェネッガーが、これはナチスのクリスタル・ナハト（水晶の夜。ユダヤ商店の一斉打ち壊し）と同質の事件であり、「最悪の大統領」トランプの責任を追及せねばならないとした動画メッセージを発信した。バイデンはこれを直ちにリツイートしている。すなわち公然と賛意を表した。

相手をヒトラーやナチスに喩えるのは、対話を不可能にし、対立をエスカレートさせる最も確実な方法である。「和解と癒し」とは正反対の行為と言わざるを得ない

ナチスのユダヤ人襲撃と「トランプ支持者」の議事堂乱入に何の共通点もない。第1章で詳述した通りである。シュワルツェネッガーの議論は映画「ターミネーター」並みに時空の歪《ゆが》んだ空想世界と言わざるを得ず、それを無批判にリツイートしたバイデンも見識を問われよう。

ＬＧＢＴＱ問題

「平等法」にフェミニストが反対

二〇二一年一月二十日、就任式を終えホワイトハウスに入ったバイデン新大統領は、矢継ぎ早に一五本の大統領令に署名した。初日における最高記録である。

問題はその中身で、大統領令は本来、法律を執行する上で必要な指示を、行政府の長たる大統領が担当部局に向けて発するものである。法律として通せない事柄を迂回《うかい》的に実行する手段であってはならない。

法案は上下両院を通過せねばならないが、物事を全て単純過半数で決める下院と違い、上院では、五分の三（六〇人）以上が同意しないと審議を打ち切って採決に入れない独特の院内規則がある。従って、五分の二プラス一の議員が結束して反対すれば、たとえ過半数が支持する法案でも日の目を見ない。

そうした例の一つが、二〇一九年三月に民主党多数の下院を通過したものの、上院でたなざらしにされてきた「平等法」である。「平等」という一般的な用語が使われているが、内容は「性、性自認（ジェンダー・アイデンティティー）、性的志向に基づく差別の禁止」に特化したものである。

この法案で保守派が特に問題とするのは、女性と性自認する生物学上の男性が、女子トイレや女子ロッカー、DVシェルター（暴力被害女性保護施設）等に入ることを法的権利と見なす部分だった。トランスジェンダーを騙《かた》る性犯罪者に悪用されかねない、が最大の反対理由である。

ところが、バイデンが就任初日に発した大統領令の一つが、まさにこの法案と軌を一にする「性自認、性的志向に基づく差別を防ぎ、闘う大統領令」だった。

その中に、「子供たちは、トイレやロッカールーム、学校スポーツに入ることを拒否される憂いなしに学べなければならない」との一節がある。

これは、トランスジェンダー「女子」をいかなる意味でも普通の女子と同じに扱わねばならないと読める。少なくとも、左翼活動家がそう解釈して圧力を強めることは間違いない（なお一般に、性別適合手術をトランスジェンダー認定の条件としてはならないとされている）。

この大統領令を保守派は厳しく批判した。例えば共和党の有力政治家ニッキー・ヘイリー元国連大使（女性）は、「これは女性の権利の問題だ。全フェミニストに呼びかけたい。決して見過ごしてはならない」と即座に声を上げている。

トランスジェンダーの「権利」を全面的に認めた場合、最も脅威を受けるのは相対的に運動能力で劣る女子である。女子スポーツで本来の女子は勝てなくなろう。一方、男子は全く影響を受けない。「女性の権利の問題」とされる所以《ゆえん》である。

トランスジェンダー問題に詳しいアビゲイル・シュライアー（女性）は次のように敷衍《ふえん》する。なおシュライアーには『不可逆的なダメージ』という、性自認問題を掘り下げた好著がある（Abigail Shrier, *Irreversible Damage*, 2020）。

力とスピードを争う競技では、思春期に拡大する男女の運動能力差は永続的で越えがたいものである。その後にテストステロン（男性ホルモン）を抑えても、男性の生物学的優位――より大きな心臓、肺、骨格、より高い骨密度、より強い筋力など――は失われない。

四〇〇メートル陸上を例に取れば、成年女子の世界記録を上回る男子高校生がアメリカだけで二〇〇人以上いるという。「陸上女子二〇〇メートルの世界記録はフローレンス・ジョイナーの二一秒三四だが、中学生男子日本記録の方が速い。陸上では一般に、女子の世界記録は男子の一三～一五歳前後の最高記録と同じ」（為末大《ためすえだい》）という専門家の指摘もある。男女差は明白である。

実際、トランスジェンダーの女子認定を二〇一七年に先行実施したコネティカット州では、男子部門で中位の成績だった陸上選手二人が女子部門に移って以降圧倒的強さを見せ、しばしば優勝をさらった。

そのため後塵《こうじん》を拝した本来の女子選手四人が、公正な競争機会の確保を求めて、二〇二〇年、コネティカット・インターハイ協会を相手に訴訟を起こした。

原告の一人チェルシー・ミッチェル選手が米紙USAトゥデイに寄せた「私はコネティカット一速い少女だった。しかしトランスジェンダー・アスリートが闘いを不公正なものにした」と題する手記がある（二〇二一年五月二十二日）。

例えば同選手は、二〇一九年の高校陸上女子五五メートルレースで三位に終わったが、上位二人はトランスジェンダー選手だった。「いくら猛練習を積んでも勝てない、なぜなら私は女だから」という「心打ち砕かれる経験」だったという。

スポーツでの勝利は精神的満足にとどまらない。名のある大会で結果を出せば、大学へのスポーツ推薦入学や奨学金などの「報奨」が付いてくる。地方予選で三位に終われば、その上の州レベル、国レベルの大会に進めず、スカウトの目に留まる機会すら得られない。

公式記録には、トランスジェンダー選手も女性名で記載されるため、映像をチェックせず文字データしか見ない人には、チェルシーはあくまで「女性で三番目の選手」でしかない。トランスジェンダーの女子部門参加は、生来の女性アスリートの将来を早い段階で閉ざしかねないのである。

州レベルで保守派が対抗

バイデンがジェンダー原理主義者に迎合する大統領令を出したことは、保守派の危機感を高め、州レベルで対抗する動きが相次いだ。

例えばフロリダ州では、二〇二一年六月一日、トランプに近い若手のホープ、ロン・デサンティス知事（共和党。一九七八年生）が率先して動き、スポーツにおける「女子」は出生証明書に女子と記載された者に限るとした州法「女性スポーツにおける公正法」を成立させた。この法に違反する行為によって機会を奪われた学生アスリートには損害賠償訴訟を起こす権利があるとも明記されている。

大統領令の危険なトゲをとりあえず州レベルで取り除いたわけである。連邦制で、日本などに比べ州の権限が強いアメリカでは、このように中央の危うい動きに州法で対抗する余地がかなりある。

ＬＧＢＴ法案で暴走する稲田朋美

期せずして、日本でもほぼ同時期（二〇二一年五月）、「性的指向および性自認を理由とする差別は許されない」とした、いわゆるＬＧＢＴ法案が自民党内の手続きさえ済めば成立という状況になり、党内外の保守派から強い批判の声が起こった。

そもそも、同年四月に自民党の特命委員会（稲田朋美《いなだともみ》委員長）がまとめた「ＬＧＢＴ理解増進法案」は、野党が二〇一六年に共同提出した「ＬＧＢＴ差別解消法案」に対抗して作られたものだった。

野党案は、性的少数者が「日常生活又は社会生活を営む上で障壁となるような社会における事物、制度、慣行、観念その他一切のもの」の「除去」を目指すとした、非常に統制色の強い危険な内容だった。

一方自民党案は、「多様性を受け入れる精神の涵養」や「寛容な社会の実現」などを目的に、「知識の着実な普及」や「相談体制の整備」に努める等々、比較的ましな記述になっていた。

ところが、野党側と調整する中で稲田が無原則に譲歩し、結局、「差別は許されない」との表現を含む「与野党合意案」が超党派の「ＬＧＢＴ議連」（馳浩《はせひろし》会長）で決議されるに至った。

稲田はこれを党に持ち帰って諮ることになる。自民党当初の「理解増進」法案は、何が「差別」かを定義もせず、「許されない」と断じた「左翼活動家支援」法案と呼ぶべきものに変質していた。

当然、自民党の有志から強い批判の声が上がったが、稲田らは、強引に指導部一任を取り付け、全党賛成の形を作って、国会質疑を省略して成立させるつもりだったというから呆《あき》れる他ない。国民の前で開かれた審議をすることが「理解増進」の第一歩ではないのか。

結局、自民党内の意見が集約できず、LGBT法案は、そのときの国会（六月十六日閉会）には提出されなかった。しかし、危険に変異した法案が、自民党の特命委員会、さらには政調審議会も通り、最後の関門たる総務会で、審議日程が取れないことを理由にようやく「党三役預かり」となったという事実は、常識ある人々の心胆を寒からしめる。筋の通った議員は実に少ないということだ。

ここで、自民党内でLGBT法案を最も強く推進した稲田朋美、馳浩両議員について、一言記しておこう。

法案がひとまず頓挫《とんざ》して数日後の六月五日、稲田は次のようなツイートを発信している。

天安門事件から32年目の昨夜、ボヘミアン・ラプソディーがテレビ初放映。中国では同性愛部分は削除されて公開されたらしい。日本は中国とは違う。言論の自由が保障され、自由と民主主義と多様性を重んじる国だ。ＬＧＢＴ理解増進法を成立させることが日本の価値観を世界に発信することになる。

「天安門事件から32年目」に関する元防衛大臣の発信がこの内容だけとは驚く。中国共産党の弾圧に関しては、映画の同性愛場面カットなど比較にならない深刻、残酷な事柄が数限りなくある。稲田のツイートは、著しく軽重の感覚を欠き、「日本の価値観」を誤って「世界に発信」したものと言わざるを得ない。

朝鮮総連との親密な関係で知られる馳浩は、参院議員になる前はプロとアマでレスラーとして活躍していた。リングの闘いを知り尽くしているはずの馳は、トランスジェンダー選手の女子部門参加を良しとするのだろうか。五輪四連覇の伊調馨《いちょうかおり》選手でさえ、男子と練習すると、スピード、パワーとも全く違う異次元の世界になり、歯が立たないと述懐している。陸上競技や水泳と違って、肉体が激しく交錯するレスリングやラグビーでは、本来の女子選手に命の危険すら及びかねない。

櫻井《さくらい》よしこ国家基本問題研究所理事長は、「自民左傾化 危うい兆候」と題したコラムで、稲田らの軽挙をたしなめた後、「性自認、すなわちトランスジェンダー案件の微妙さ、難しさから、欧米諸国で深刻な社会・政治問題、分断と犯罪が起きている。自民党はこうした負の事例をきちんと学び自民党案に戻るべきだ」と論じている（産経新聞二〇二一年六月七日）。

その通りだろう。櫻井のようなバランス感覚が政界一般に欠けている。もっとも、自民党の元々のLGBT「理解増進」法案すら、結局は左翼活動家を利するだけで、有害無益と言わざるを得ない。

法務省人権擁護局の「多様な性について考えよう！」パンフレットを見ると、キーワードは「心の性」と「恋愛対象」である。例えばレズビアンの定義は「心の性が女性で恋愛対象も女性」となっている。

これを幼稚園からあらゆる職場に至るまで、まず一人ひとりに問いただせというのが「理解増進」教育の基本形となる。「鬱陶《うっとう》しい」とか「俺の恋愛対象は特定の人物であって女一般ではない」とか「幼児にそんなことを聞くな」などと反応すると、再教育対象になる。これら全体を通して、左翼活動家に税金から毎年多額の資金が流れることになる。

必要なのは、怪しげな「理解増進法」ではなく、常識の涵養だろう。

ここで、アメリカ草の根保守のカリスマ、ラッシュ・リンボーのトランスジェンダー論を紹介しておこう。例によって批判を恐れぬ本音が吐露されている。

ちなみに、先に触れたトランプ派期待のデサンティス知事（フロリダ州）は、今は亡きリンボーを「われわれの最も偉大な野戦将軍（field general）」と呼び、畏敬《いけい》の念を隠さなかった。フィールド・ジェネラルには、アメフトのクォーターバックの意味もある。

さて、この問題に関するリンボーの数あるコメントからエッセンスをつなげるとこうなる。

これはまさに政治そのものだ。トランスジェンダーは人口の〇・二パーセント程度に過ぎない。彼らに対する露骨な差別や敵意など存在しない。実際に起こるのは、普通に生きて働いてきた人が、ある日突然、ある男が「女子トイレを使いたい。実は男ではないので」と言っていると告げられ、「差別するな。すぐに対応しろ」と攻め立てられ、困惑する。そういう話だ。もちろん私は、精神疾患と言えるケースについては満腔の同情を持っている。しかし、それは医者が対処すべき話で、政治問題化すべきではない。

さらにリンボーは、背景にある政治事情に話を及ぼす。

しかし左翼は、伝統的な通念を攻撃し、アメリカ社会を混乱に陥れる一環としてこれを用いている。民主党は、アメリカは不公正な差別に満ちていると触れ回っている。そしてどんなグループであれ、多数派に差別されているとうまく訴えられれば、メディアがヒーロー扱いしてくれる。悪いのはいつも男中心、白人中心、クリスチャン中心のアメリカ社会だ。トランスジェンダー主義は、実のところ若者の間におけるはやりのファッションに過ぎない。

以上が、民主党・メディア複合体によって、「信じがたい偏見」と攻撃されたリンボーのトランスジェンダー論である。これを健全な意見と捉えるアメリカ人も少なくない。だからリンボーのトークラジオは全米最高のリスナー数を誇ってきたわけだろう。日本でも、海外の様々な混乱事例も踏まえた、より率直な議論が行われねばならない。

キム・デービス事件──同性婚証明「拒否」騒動

左派こそ不寛容の権化

訴訟社会のアメリカでは、トランスジェンダー問題のみならず、同性婚を巡っても様々に先鋭な議論、法廷闘争が続いてきたし、今も続いている。いくつか代表的な事例を見てみよう。

二〇一五年六月二十六日、米連邦最高裁が、同性婚を新たに憲法上の権利と認め、全ての州に認定を義務づける判断を示した。九人の判事中、五人が賛成、四人が反対の一票差であった。寛容が不寛容に勝利、という図式で報じるメディアが多かったが、事はさほど単純ではない。

反対者の一人アントニン・スカリア判事は、憲法は結婚を定義する権限を最高裁に与えておらず、「本日の司法クーデターに見られる思い上がり」は民主的な決定プロセスを破壊するものだと強く批判している。当時、同性婚を認める州が、全米五〇州中すでに三八州あった。「裁判所が突如終止符を打つまで、同性婚に関する議論は、アメリカ民主制における最善の形で進められていた。選挙を経ない九人の委員会による憲法修正といったやり方は、自主的統治を壊すもので、民主制の名に値しない」とスカリアは言う。あくまで選挙で選ばれた各州の議会に判断を委ねるべきというわけである。

当時急速に保守派の間で評価を上げていた若手のマルコ・ルビオ上院議員（共和党）は次のような声明を出している。

私は、強い家族生活の鍵である結婚は、社会の最重要制度であり、一人の男性と一人の女性によるものでなければならないと信じている。この伝統的定義に同意しない人々は、州法を変える権利を持つ。しかしそれは有権者の権利であって、選挙を経ない判事たちが行使してよい権利ではない。

一般に保守派の間では、連邦最高裁の越権行為によって、結婚は一組の男女に限るとする伝統的結婚観を持つ人々が圧迫されることがあってはならないとの声が強く上がった。

その後同年九月三日、全米のみならず世界が注目する事件が起こった。同性カップルへの結婚許可証交付を自身の信仰を理由に拒否したケンタッキー州ローワン郡のキム・デービス書記官（女性）が収監されたのである。ＮＨＫはじめ日本のメディアでは、保守派の不寛容を示す典型的事例で、独善的行為に出た役人が正当に罰せられたとの印象を与える報道が多かった。果たして実情はどうか。

「寛容は双方向でなければならない」がこの一件を理解する鍵である。

ケンタッキーは最高裁判決が出た時点で、同性婚を認めていない州の一つであった。デービスはその州法のもとで、職務に精励する旨を誓約して就職していた。

一方、ケンタッキーの州法は、結婚証明書に郡の担当書記官が署名すべき旨を規定していた。デービスが拒否したのはあくまで、この、同姓婚を認める書類に「保証人として自分がサインすること」であった。例えば自治体名で発行するのなら機械的に処理する意向を示していた。

デービスは、最高裁審理の行方を懸念し、判決が出る数カ月前に、結婚証明書の様式変更ないし当該業務からの免除を求める上申書を、同僚数人と共に知事に提出してもいた。同性婚の保証人となるのは宗教的信念から耐えがたいとした内容である。

ところが当時の知事（民主党）は、「規定通り署名し証明書を発行せよ。いやなら辞職せよ」と一蹴《いっしゅう》する態度を取った。このとき知事が柔軟に対応し、書類の様式を少し変更しさえしていれば、何の問題も起こらなかったろう。本来、その程度の話だった。

上申書を却下されたデービスは、結婚証明書の様式変更があるまで交付を停止するという挙に出る。

これに対し、実際に窓口で発行を拒否された同性婚カップルが、左派の法曹団体「アメリカ自由人権協会」（ＡＣＬＵ）の支援を受けつつ、公務員による差別行為だとしてデービスを告訴、裁判所は証明書発行を命じる仮処分を下した。これにデービスが従わなかったため、法廷侮辱罪で収監となり、騒ぎは一段と大きくなる。なお、郡の書記官（county clerk）は選挙を経た幹部職であり、正規の弾劾手続きを経なければ解職できない。

数日後、「判事の権限に基づいて交付」と記した暫定様式の結婚証明書を出すことで妥協が図られ、デービスは職場復帰して発行業務を再開した。知事もこれを有効と認めた。ところがＡＣＬＵが、州法の規定通りでない証明書は無効として新たな訴訟を起こす。あくまでデービスに署名させろというわけである。デービス側の弁護士はACLUによるこの再告発を「極度に不必要かつ不適切」な行為と批判している。実際、不寛容はどちらなのか。

ここにおいて世論の風向きが変わり出す。進歩派のワシントン・ポストも、「例えば多くの航空会社はイスラム教徒の客室乗務員に酒類の提供サービスを免除している。結婚証明書についても同様の措置が取れるはず。収監は過剰な権力行使だ」などとしたコラムを載せている。

同年十一月、ケンタッキーで知事選が行われ、収監中のデービスを見舞うなど理解を示した共和党候補が民主党候補（現職の州司法長官）に圧勝した。寛容、非寛容に関する州民の判断が下されたと言える（なお、デービスは民主党員だったが、騒ぎの最中に共和党に党籍変更している）。

新知事は直ちに、結婚証明書に書記官の署名を不要とする行政命令を出し、その後、州議会も同趣旨の法案を通した。ここにおいて問題は正式に解消する。

以上に明らかな通り、この騒ぎは、右派の不寛容というより、多くが左派の不寛容に起因するものであった。

ウエディングケーキ訴訟

信仰の自由よりも同性愛原理主義を優先

「同性愛者の権利と信仰の自由のバランスをいかに取るか」をめぐっては、二〇一八年六月四日、連邦最高裁が注目すべき判断を下した。

二〇一二年、コロラド州のケーキ職人ジャック・フィリプスが、ゲイ・カップルからのウエディングケーキ注文を、自らの信仰に反するとして断った。もっとも、バースデーケーキや普通の菓子なら喜んで売ると述べている。

フィリプスはウエディングケーキにはこだわりがあった。注文を受けると、カップルの様々な希望を聞き、自らの祝福の思いとミックスさせて、一個の芸術作品に仕上げていくところに職人の矜持《きょうじ》があった。祝福の思いや芸術的感興は強要されて湧くものではない。

実際フィリプスが経営するマスターピース・ケーキショップ（Masterpiece Cakeshop）のウェブサイトを見ると、見事な装飾を施されたケーキが生み出されるさまを見ることができる。

そのサイトには、次の文章がある。

マスターピース・ケーキショップはどなたにも注文ケーキを喜んで創ります。しかし多くのケーキ・アーチスト同様、ジャックは、全ての注文ケーキを創れるわけではありません。その宗教的信念とぶつかるようなメッセージを表したり、イベントを祝したりするような注文ケーキは創れません。

不当に扱われたとするゲイ・カップルの告発を受けた州の公民権委員会は、フィリプスの行為を「性的指向を理由とした差別」だと認定し、同性愛カップルにもウエディングケーキを製造販売するよう命じた。同時に、差別問題に関する「包括的な従業員教育」を行い、四半期ごとに進展状況を公民権委員会に報告せよとも指示した。

フィリプスはこれを受け入れず、ウエディングケーキ創りから撤退するとともに（その結果、店の売り上げが四〇パーセント減ったという）、信仰に反して同性婚への支持を強要するのは憲法違反だとして、命令の撤回を求める訴訟を起こした（なお当時、コロラド州は同性婚を認めない州の一つだった。カップルは、同性婚を認めるマサチューセッツ州で式を挙げた後、コロラド州で披露宴を行った。これもフィリプスが違和感を覚えた理由の一つだった）。

最高裁は七対二でフィリプスの主張を認めた。進歩派のうち二人も賛成に回っている。裁判では、トランプ政権下の司法省が「法廷助言人」として原告（フィリプス）の立場を支持する意見書を提出した。これもフィリプスに追い風となったと言われる。

法廷意見（多数意見）は次のように言う。公民権委員会は寛容の精神に基づき、同性愛者の尊厳と信仰の自由の両立を図るべきだったが、職責を放棄し、フィリプスに一方的に「敵意」を向けた。

公聴会の場で、何人かの委員は、フィリプスの信仰を唾棄《だき》すべきものと退け、彼の誠実な宗教的信念を、奴隷制やホロコーストを弁護する論理に喩えた。これらのコメントに異議を唱える委員は一人もいなかった。

到底バランスの取れた審議が行われたとは言えないというわけである。ニール・ゴーサッチ判事は追加意見で、「人気のある宗教的見解は実に簡単に守れる。この国が宗教的自由の確たる保護者であるか否かは、人気のない宗教的信念を守れるか否かに掛かっている」と述べ、フィリプスは保護されるべきだとした。

同性愛者が不当に差別されたり、辱められたりしてはならないことは言うまでもない。ただ寛容は双方向でなければならない。

孤児と里親を結び付ける養子斡旋《あっせん》事業で長年成果を上げてきたカトリック系の慈善団体が、同性愛カップルへの斡旋は信仰上できないとしたため、ＬＧＢＴ差別に当たるとして事業免許を取り消されたフィラデルフィア市のような事例も出た。

この件は、二〇二一年六月十七日、最高裁が、九対〇で、柔軟性を欠く市の措置は不当とする常識的な判決を下している。

カンザス州のサム・ブラウンバック知事は、最高裁が同性婚容認を全ての州に義務付ける決定を下した直後に、「同性婚の不認定、結婚式の拒否を理由として聖職者や宗教組織に罰を与えてはならない」とする行政命令を出している。「罰」には課税免除の取り消しなどが含まれるという。

同知事は声明で、人々が「その誠実で深い信念に反する活動への参加を強いられないようこの措置を取った」と述べている。上院議員時代、北朝鮮人権法の制定を主導し、日本人拉致《らち》問題でも協力を惜しまなかったブラウンバックを私はよく知っているが、いかなる意味でも不寛容な人ではない。

重要なのは具体的にバランスを見出していく努力である。ＬＧＢＴ運動家の中には、同性婚の権利化は方便に過ぎず、結婚、家族、宗教、市場経済といった伝統的枠組をすべて解体して共産主義コミュニティを作るのが最終目標といった人々もいる。彼らは、結婚にこだわる同性愛者を内心軽蔑《けいべつ》しつつ、利用しているに過ぎない。そうした運動家たちは実に容赦ない。

以下、ケーキ職人フィリプスのその後に触れておこう。

最高裁で勝訴したフィリプスだが、前後して、あるトランスジェンダー「女性」（以下A）から新たな訴訟を起こされた。自身の誕生日と性転換七周年を祝うバースデーケーキをフィリプスに注文したが断られた、「ウエディングケーキは謝絶するが、バースデーケーキその他なら喜んで提供する」という発言と矛盾する、憲法違反の差別だというわけである。Aは弁護士資格を持つＬＧＢＴ活動家だった。

普通の誕生パーティではなく、はっきり性転換を祝うと謳《うた》ったパーティに記念のケーキを創ることは、やはり宗教的信念からできないというのがフィリプスの主張で、州の人権委員会は、先の最高裁判決も踏まえて、この主張を受け入れる裁定を下した。それを不服としたAがフィリプスを地裁に訴えたわけである。

Aと支援弁護団は、その後も、若干角度を変えた訴訟をフィリプスに対し繰り返し起こしている。左翼活動家らが自らの主張を全国的に発信する上で、「有名なフィリプス」は格好のターゲットだった。「ただケーキ創りに専念したい」という彼の願いは叶えられそうにない。

日本でもLGBT「差別禁止」法を安易に作れば、実質的に「左翼活動家支援」法となり、フィリプス同様、濫訴《らんそ》に見舞われる個人や企業が少なからず出てこよう。仮にも保守政党が、その先棒を担ぐことなどあってはならない。

最高裁人事をめぐる仁義なき戦い

訴訟が政治に組み込まれた米国

アメリカは、日本よりはるかに強く、訴訟が政治に組み込まれている。裁判で最終判断を下す権限は、言うまでもなく連邦最高裁にある。

日本と違い、多数の上告案件全てに判断を示す必要はなく、何を審理し、しないかは、完全に最高裁の裁量に委ねられている。そのため喫緊の「注目案件」が優先して取り上げられやすい。最高裁が現在進行形で政治に関わる度合いが強い所以である。

「最高裁判所および下位裁判所の裁判官はいずれも、非行なき限り、その職を保持することができる」という憲法の規定に基づき、アメリカの連邦判事は、最高裁から地裁に至るまで全員、終身任用である。死亡や自主的退職で空席ができると、大統領が後任を指名し、上院の承認が得られれば就任となる。

大統領の任期が一期四年で二期まで、すなわち最長八年なのに対し、例えば五十歳で就任した判事なら三十五年程度は職にとどまることが予想されよう。大統領の四、五倍の長さである。

しかし多くの場合、実際の影響はさらに長期に及ぶ。判事たちは、引退時期を調整し、自分と立場の近い大統領の任期中に身を引くことで、同じ系統の判事にさらに数十年間つなぐことが可能になる。判事ポストを一つ取れば、百年近いスパンで最高裁の構成に影響を与えうるのである。

過去の実例を見てみよう。

ブッシュ父大統領は、最大の痛恨事は、ジョン・スヌヌ首席補佐官（元ニューハンプシャー州知事）の誤った進言に引きずられ、同州判事だったデヴィド・スーターを連邦最高裁判事に指名したことだったと常々述懐していた。

目立った論文がなく正体不明のスーターを、スヌヌは信頼できる保守派だと請け合ったが、実際にはスーターは最高裁判事就任後、加速度的に進歩派的立場を明らかにしていった。しかも二〇〇九年、七十歳を前に突如引退を表明し、当時のオバマ大統領が若い進歩派を後任に据えられるようお膳立てした。保守派にとっては、何重にも憤懣《ふんまん》やるかたない経験であった。トランプは一期で大統領退任となったが、その間に、比較的若い保守派の判事三人を最高裁に送り込んだことで、将来保守派が書く歴史においては、偉大な大統領の列に置かれることになろう（承認権を持つ上院が、トランプの任期を通じて共和党多数だったという幸運もあったが）。

従って最高裁判事（現在定数九人）の人事をめぐる攻防は、しばしば政争の噴火口と言ってよい様相を呈することになる。

「セクハラ疑惑」を捏造

根拠の薄い「セクハラ疑惑」を武器に政敵やライバルの追い落としを図る悪しき風潮も最高裁人事をきっかけにエスカレートした。バイデンとハリスはその中で、いずれも主役級の役割を果たしている。

最初に大きく政界を揺るがした例が、一九九一年にブッシュ父大統領が指名したクラレンス・トーマス判事のケースで、このとき、承認公聴会を仕切り、「セクハラ」追及の先頭に立ったのが上院司法委員長のバイデンだった。トーマスは黒人だが、現在の最高裁で最も原則的な保守と言われる。ちなみにトーマスの回想によれば、イェール大学法科大学院在学中、最も信の置けた白人の友人は、トランプ政権で安保補佐官を務めたジョン・ボルトンだったという。

さて、特に波乱なく公聴会手続きが進み、承認の流れが出来たところで突如、かつてトーマスの助手だった黒人女性がセクハラ被害を訴え出た。上司と部下という権力関係の中で、デートに誘われ、卑猥《ひわい》な冗談を我慢させられたといった内容だった（トーマスはセクハラを否定するとともに、詳細についてはプライバシーに関わるとして証言を拒んだ）。

改めて追加公聴会が設定されるなど数週間騒ぎが続いたが、結局、その女性が、トーマスが転職する際、自ら志願して付いて行った事実や、他にセクハラ被害を訴える女性がいなかったことなどから、逆風は一定程度で収まり、五二対四八で承認となった。

カバノー判事に「性的暴行疑惑」を仕掛けたハリス

このトーマスの件がままごとかと思えるほどに、はるかに無理筋の攻撃を民主党・メディア複合体が仕掛けたのがブレット・カバノー判事のケースであった（二〇一八年、トランプ大統領が指名）。このとき上院司法委員会でカバノー糾弾パフォーマンスを演じた中心人物の一人がカマラ・ハリスだった。

二〇一八年十月六日、カバノーは、「泥の中を引きずり回す」と言われた熾烈《しれつ》かつ低次元の攻撃に晒《さら》された末、五〇対四八で上院において承認され、即日就任した。米史上、最も僅差《きんさ》による承認だった。

日本のメディアでは、「性的暴行疑惑が相次いで浮上」（朝日）といった報道が広く見られたが、当を得ていない。以下、米政界の分断を大きく悪化させた攻防の事実関係を見ておこう。

カバノーを告発した女性たちの証言はいずれも信憑性《しんぴょうせい》を欠き、荒唐無稽《こうとうむけい》といった言葉では済まない、犯罪的な嘘《うそ》と言うべきものもあった。

最初の告発者、クリスティン・フォードの証言は以下の通りである。

高校時代のあるパーティで、泥酔したカバノーに押し倒され水着の上から体を触られた。場所や日時は覚えておらず、飲酒を咎《とが》められると困るので、親にも警察にも知らせなかった。以後、口を塞《ふさ》がれた際の窒息の恐怖やカバノーらの笑い声がトラウマとなってきた。

フォードはその場にいたという三人の名を挙げたが、三人とも「記憶がない。カバノーのそうした振る舞いを見たことがない」（男性Ａ）、「そんなパーティは知らない。カバノーが不適切行為で非難された例を知らない」（男性Ｂ）、「カバノーと一緒の集まりに出た記憶がない」（女性Ａ）と逆にフォードに不利な証言をしている。

他方、別の元男子生徒二人が、ふざけて女の子を押し倒したことがある（レイプの意図など全くなかったが）と匿名を条件に供述している。

なお、事件の後遺症で閉鎖空間が怖くなり、ドアが一つの部屋や飛行機を利用できなくなったというフォードの訴えに関し、元恋人の男性が、ドアが一つの部屋で同棲し、旅先で一緒に遊覧飛行もしたが彼女に特に変わった様子は見られなかったと否定的な証言をしている。

共和党の議員団は、女性有権者の反発を買わないよう、「顔と名前を出して議会証言してくれた勇気に感謝する。ただ、あなたは人違いをしているのではないか」との立場を採った。

しかし保守系メディアでは、良くて人違い、おそらくは意図的偽証で（フォードは、カバノーの最高裁入りに反対する進歩派。また弁護人のデブラ・カッツは著名な過激フェミニスト）、いずれにせよ高校時代の曖昧《あいまい》な「事件」を理由に人事をつぶすような先例を議会が作ってはならない、世間一般の就職活動にも悪影響を及ぼすといった論が支配的だった。

次に、二番目の告発者デボラ・ラミレスの話を見ておこう。イェール大学一年生のときの飲み会で意識朦朧《もうろう》となり床に寝ていると、男子学生の一人が性器を露出させてラミレスの顔に寄せてきた。振り払ったものの、結婚まで男性器を触らないと決めていたので大変なショックを受けた。

相手が誰か分からなかったが、最近、断片的記憶をたどったところ、「今ブレット・カバノーがデビーの顔にペニスを押しつけたぞ」と誰かが叫んでいたことを思い出した。「ブレット」

ではなく「ブレット・カバノー」とフルネームだった。「犯人」はカバノーに間違いない。自分をおもちゃに楽しんだカバノーらの笑い声が今も脳裏に蘇《よみがえ》り、苦痛を覚える（同様の表現はフォードも議会証言で用いている）。

なおラミレスはこの話を当初ニューヨーク・タイムズに持ち込んだが、同紙は、裏付け証言が取れないとして記事にしなかった。結局、雑誌ニューヨーカーが記事化したが、同誌も掲載に当たって、「当人の記憶は曖昧」と再三断っている。

この第二の告発者については、「あのなり振り構わぬ反トランプ新聞、ニューヨーク・タイムズでさえボツにした話に何の信憑性があるのか」が保守派の決め科白《ぜりふ》となっている。また、百歩譲って事実としても「ビッグ・ディール」（大した話）ではない、この程度の「おふざけ」がトラウマになったというのは嘘だろうといったより露骨な声も、トークラジオでは多数聞かれた。

第三の告発者、ジュリー・スウェトニクの話は、事実とすれば最も深刻だが、同時に最も信憑性に欠ける。というより、明らかな偽証だろう。

カバノーらの高校生パーティに十数回出たというスウェトニクによれば、彼らは毎回狙《ねら》った女子学生に密かに薬物を飲ませ、集団レイプしていた。順番を待つ男子学生たちの列が部屋の外にできていた。そして、自分もレイプの犠牲になったというのである。

しかし彼女は次のような初歩的な疑問に何一つ満足に答えられなかった。
（1）なぜ彼女を知る人間が、男女を問わず、カバノー周辺に一人もいないのか
（2）なぜカバノーの三学年上で当時大学生だった彼女が高校生のパーティに出ていたのか
（3）なぜ自身も含め十人以上いるというレイプ被害者の誰一人、警察はおろか家族にも友人にも訴え出なかったのか
（4）なぜ集団レイプが行われていると知りつつ十数回もパーティに参加したのか
こうした明らかな不整合に加え、元交際相手からストーカー行為で訴えられるなど、告発者の行状も、証言の価値を落とした。

また彼女の代理人として、民主党指導部に証人採用を働きかけた弁護士のマイケル・アベナッティは、ポルノ女優ストーミー・ダニエルズによる対トランプ訴訟を主導した札付きの人物だった。

以下、きわめて低次元の話になるが、トランプ時代に民主党・メディア複合体がどこまで堕ちたかを示す貴重な時代証言なので、簡単に記しておこう。

ダニエルズが起こした訴訟は、トランプとの過去の関係を一切口外しないという誓約書（代わりに一三万ドルを受け取る）の無効を訴えるものだった。トランプが大統領になったため、メディアの取材に応じてインタビュー料を取った方が儲《もう》かると計算したわけである。

その後、「あの女はペテン師」「あんな馬面は好みではない」といったトランプの発言を受けて、ダニエルズ側は名誉棄損に基づく損害賠償請求訴訟も起こしている（言論の自由の範囲内としてダニエルズが敗訴）。

「合意の上の性行為」（とダニエルズも認めている）を利用した売名行為だったが、主流メディアは大統領弾劾に値するスキャンダルとして大々的に報じ続けた。ダニエルズおよび代理人のアベナッティは、一躍スター扱いされ、アベナッティは大統領選への出馬意欲を口にするまでになった。

この俗臭芬々《ふんぷん》たる「法律専門家」が持ち込んだ第三の「性暴行被害者」を、民主党指導部は、ただちに重要証人と位置づけ、真相解明までカバノー人事を停止すべきとの立場を取った。

ここに来て共和党側は、反転攻勢の潮時と判断し、第三の告発者および代理人のアベナッティを、虚偽証言による議事妨害で告発すると同時に、司法委員会での審議を打ち切り、本会議採決に持ち込んだ。その結果、既述の通り僅差ではあったが、カバノーの最高裁判事就任は承認された。

カマラ・ハリスを中心に民主党側は、「女性の人権」をキャッチフレーズに、司法委員会の採決ボイコットや議会内外での反対集会など最後まで抵抗姿勢をアピールしたが、この間最も不当に傷つけられたカバノーの妻や娘、母などの「女性の人権」にはおよそ無頓着《むとんちゃく》だった。

なおその後、ポルノ女優ダニエルズは、自身の回顧録の印税を着服されたとしてアベナッテイを刑事告訴し、捜査の結果、検察はこの問題弁護士を起訴した。この件以外でも、アベナッティは、スポーツ用品大手ナイキに対する企業恐喝事件などで逮捕、収監されている。この内、ナイキ事件については、二〇二一年七月九日、連邦地裁で二年半の禁固刑判決が下された。アベナッティはこれを受け入れ、「私は、子供たちに私のことを恥じて欲しい。そのことで彼らは倫理観の軸を保てるだろうから」とのコメントを出している。

オバマの至言

こうした一連の流れを受けて、民主党の内部からも、アベナッティのような胡散臭《うさんくさ》い人物に教唆され、第三の告発者まで重要証人扱いしたのは大きな戦略ミスだったとして、指導部を批判する声が相当上がった。

実際、カバノー騒動は民主党に無視できぬ政治的マイナスをもたらした。

進歩派勢力が「連続集団レイプ魔」というイメージまで動員してカバノーに人格攻撃を仕掛けたことは、保守派の怒りのエネルギーを倍加させ、カバノー承認直後に行われた二〇一八年中間選挙で、共和党が上院を制する大きな要因となった。

保守派優位の州で再選を目指していた民主党議員のうち、逡巡《しゅんじゅん》の挙句カバノーに反対票を投じた三人は、いずれも落選の憂き目を見た。当の三州の世論調査で、カバノー承認に反対した場合、現職を支持しないと答えた人の割合は他州をかなり上回っており、最高裁人事が選挙に影響したのは明らかだった。

三人が当選していれば、上院は五〇対五〇の与野党同数となり、議長を兼ねる副大統領のペンスが決定票を握るものの、トランプ与党の共和党としては、一人の造反者も出せない薄氷の議会運営となるところだった。反トランプ派の「やり過ぎ」が共和党を助けたわけである。

なおオバマが回顧録で興味深い指摘をしている。権威に歯向かう姿勢を売り物にする習性などから、「発信において自制心を欠くことにほとんど倒錯した誇りを持つ議員が特に民主党に多い」というのである。これはカバノー騒動でも見られたことだった。日本の野党議員にも、このオバマの至言が当てはまる人物は多い。

第3章

新冷戦の勝敗を決める六つの戦略

中共は常に、言葉ではなく相手の行動を凝視している。とりわけ次の六点に関して、自由主義陣営がどこまで筋の通った対応ができるかが重要となろう。

①武漢ウイルス禍の起源解明
②人権問題
③スパイ活動への法執行
④経済のデカップリング（分断）
⑤気候変動問題
⑥軍事戦略

順に見ていこう。

(1)武漢ウイルス禍の起源解明

急転回をみせる「武漢ウイルス研究所漏出説」

二〇二一年五月以来、「忘れられた戦線」がにわかに動き出した。武漢ウイルスの、中国科学院武漢ウイルス研究所（以下、武漢研）からの漏出説である。

本来、一貫して主戦場の一つであるべきだったこの問題で、鍵となる人物の一人がデヴィド・アッシャーである。

第1章でも触れた、「武漢ウイルス研究所における活動」と題する報告書をまとめた国務省作業部会（タスクフォース）の主査で、ポンペオ国務長官（当時）が特別顧問として外部から迎え入れた。その後バイデン政権発足とともに退任し、首都ワシントンにあるハドソン研究所に籍を移した。

ハドソンは、トランプ政権や安倍政権と最も近い関係にあった保守系シンクタンクである。副所長のスクーター・リビーは、私もよく知る人物だが、ディック・チェイニー元副大統領の首席補佐官としてブッシュ長男政権で重要な役割を果たした。

アッシャーも、やはりブッシュ政権で「戦略的法執行」の特別調整官を務めている。戦略的法執行とは、違法行為の摘発を通じて敵対勢力の資金源を断つことを意味し、北朝鮮のように「犯罪だけで食っている」テロ集団には、とりわけ効果が大きい。次章で詳しく触れるが、彼とも何度か意見交換した。

さてアッシャーは、二〇二一年六月に発表した政策メモで、中共が武漢研の徹底調査という米側の要求に応じない場合、生物兵器禁止条約に違反する行為があったと見なして、特に次のような措置を取るべきだと提言している。

①武漢研および上部団体である中国科学院とその関連企業に対して、取引停止などの制裁を発動する。

②武漢ウイルスから生じた損害については、国際法上の主権免除原則（国家は他国の裁判で被告たりえない）の例外とする。すなわち、「外国主権免除法」に適用除外規定を設け、中国政府を相手取った損害賠償訴訟を可能とし、支援する。

①は、政府に意思さえあれば、いつでも実行できる。②はすでに米国内で何件も提起されながら、主権免除の壁に阻まれてきた訴訟を動かそうというもので、実質的に強烈な対中制裁となる。

もちろん、米国の裁判所が武漢研ないし中国政府に賠償支払いを命じても、中共側は応じないだろう。従って、米政府による在米中国資産差し押さえという展開になる。中共は当然、米政府や米企業に対して様々な報復措置に出るだろう。そこまでいけば本格的な経済戦争である。日本も自由主義陣営の一員として「参戦」を求められる。いつでも臨戦モードに切り替えられるよう、戦略分野に関しては対中依存度を着実に減らしておかねばならない。

損害賠償をめぐっては、トランプ前大統領が、より刺激的な表現で、踏み込んだ主張をしている。

「中国共産党に米国と世界が賠償を求める時が来た」

六月五日、ノースカロライナ州の共和党大会で演壇に立ったトランプは、「中国共産党に対して、米国と世界が賠償を求める時が来た」と切り出し、「全ての国が結束して、中国に最低一〇兆ドルの請求書を回さねばならない。手付金として、全ての国が、中国に負っている債務を帳消しとすべきだ」と力説した。

これをトランプの単なる放言と捉えてはならない。例によって言い回しは荒っぽいが、先のアッシャー提言と同一線上の、米保守ハードライナーに共通した発想と見ておかねばならない。そのままの形では実現しないとしても、中国への制裁、圧力強化を考える際に、常に意識されるポイントとなろう。

このトランプ演説の十日前に、バイデン大統領が、武漢ウイルスの起源に関する再調査と九十日以内の報告を情報機関に指示している（五月二十六日）。武漢ウイルスは人工的に作られた可能性が高いとする科学論文が米内外で次々出されたことを受けたものである。

これに対し、中国外務省の趙立堅《ちょうりつけん》報道官がすぐさま、「世界保健機関（ＷＨＯ）の国際調査団が、中国の研究所からウイルスが漏出した可能性は『きわめて低い』とはっきり報告書に書いている」と反論した。しかし、中国側が切り札とするこのＷＨＯ報告書（三月三十日）には何の科学的意味もない。

二〇二一年一月から二月にかけて武漢を訪問したＷＨＯ調査団は一七人の外国籍研究者と一七人の中国人研究者からなる混成部隊だった。

「調査」は終始、中国政府の徹底した管理のもとで行われ、中国人研究者が常に寄り添って「解説」を加えている。中立的な専門家による独立した検証とは到底言えず、予想通り、あるいはそれ以上に、中共の宣伝工作に手を貸すだけに終わった。最もあってはならない形の「調査団」だった。

同調査団は、中国政府が用意したシナリオに沿って、新型コロナウイルスが武漢研から漏れ出た可能性は「極度に低い」(extremely unlikely)と結論づけた。中国報道官が誇らしげに紹介する通りである。

しかしその根拠は、同研究所が「安全面でよく管理され、所員の健康チェックもなされていた」からというに過ぎない。中共が一年以上かけて入念に準備した以上、一見して分かる隙《すき》がないのは当然だろう。

国際調査団にアメリカから唯一入った英国生まれの研究者ピーター・ダザックは、可能性が「きわめて低い」としたのは、中国側がそう説明したからで、独自の検証を行ったわけではないと認めている。なおダザックは、武漢研と資金面で協力関係にあり、本来メンバーに入ってはならない露骨な利害関係者であった。

ダザックはまた、感染症対策をトランプ、バイデンを含む歴代大統領に助言してきたアンソニー・ファウチ米国立アレルギー・感染症研究所所長（日本でいえば「尾身茂《おみしげる》会長」に当たる）とも親しく、この二人が、武漢研漏出説を否定する「専門家」の中心となってきた。

情報評価の責任者は大統領

バイデンは、武漢ウイルス再調査を発表した際、情報機関内部で見解が分かれていると予防線を張ったが、情報評価についても政策決定同様、最終責任は大統領にある。

極秘情報を知り得る立場から、この問題で重要証言をしてきたのが、トランプ政権で大統領安保副補佐官を務めたマット・ポティンジャーである（私も数回面談したことがある）。

中国語に堪能で、退任後の二〇二一年三月二十八日、米ＣＢＳテレビのインタビューに、「中国政府は認めていないが、中国軍と武漢研は一連の共同研究を行ってきた。われわれはそのデータを持っており、私自身そのデータを見た」と述べている。

武漢研は、ウイルスを人工的に操作してヒトへの感染力を高める「機能獲得」実験を行っていた。二〇一八年に現場を視察した米政府職員は、「専門知識を持った技術者が不足している上、管理がずさんでパンデミックを招きかねない」と警告する内容の報告を上げている。

機能獲得実験は生物兵器開発と同じプロセスをたどる。それゆえ漏れ出たときの被害は、文字通り兵器級となる。そのためアメリカでは、オバマ政権時の二〇一四年、機能獲得実験への連邦補助金供与を停止した。

ポティンジャーは、「武漢研では特に、COVID-19ウイルス（武漢ウイルス）と同様、人間の肺の中でＡＣＥ２受容体と結合するコロナウイルスの研究を行っていた」という。

ＡＣＥ２受容体とは、肺の細胞膜にあって、特定のウイルス外膜と結合する性質を持つ酵素を指す。

ポティンジャーの妻はウイルス学者で、米国疾病予防管理センター（CDC）に勤務した経験もあった。また兄弟の中に、ワシントン大学医学部で感染症学を担当する教授もいた。彼らの専門的助言も情報の解析に役立ったという。

第1章でも触れた通り、武漢の海鮮市場で最初のクラスターが確認される約一カ月前に、類似の症状を呈した武漢研の職員三人が病院で治療を受けていたとの情報を米側は得ている。研究所と海鮮市場はわずか数キロの距離にある。武漢研には、各種のワクチンや治療薬が揃っており、既知のウイルス感染症なら病院に行かずとも内部で対応できる。

従って、「状況証拠に照らせば、パンデミック発生は何らかの人的エラーに因ると考える方が、自然発生的現象と考えるよりはるかに理にかなっている」とポティンジャーは言う。

日米英など一四カ国の政府は、ＷＨＯ報告書が発表された直後に、「完全なデータやサンプルにアクセスできなかったことに懸念を表明する」とする共同声明を出した。当然の認識だが、そもそもかねて中共との癒着が問題視されてきたＷＨＯに調査団の構成や、調査方法を委ねたのが間違いだった。

ただ、中国寄りと批判されてきたテドロスＷＨＯ事務局長ですら、生のデータの検証ができていないとして再調査の必要を唱え、七月十五日にはさらに踏み込んで、「私自身、免疫学者として実験に携わってきたので知っているが、実験室での事故はよくある」と、武漢研からの漏出可能性を排除するのは時期尚早との立場を鮮明にした。

中共、バイデン政権両方に正しい圧力を掛ける発言であり、初めてWHOトップにふさわしい仕事をしたと言える。

このテドロス再調査提案を中共は拒否した。それに対しバイデン政権のジェン・サキ大統領報道官は、「無責任かつ危険だ」と非難の言葉を投げかけている（七月二十二日）。この姿勢を変えず、G7中心に必要な行動を取らねばならない。

(2) 人権問題

西側の覚悟が問われる「北京冬季五輪ボイコット」

二〇二一年六月中旬、イギリスのコーンウォールで主要七カ国首脳会議（G7サミット）が開催された。イングランドの最南西端にあって、海に突き出したこの地域は、冷戦期には、工作員の潜入ポイントとして知られた。スパイ小説のファンなら、コーンウォールの地名から直ちに国際陰謀をイメージするはずである。

サミット全体会合が始まる直前の十二日、中国政府が突然、不当に収監していた女性の民主活動家、周庭《しゅうてい》（一九九六年生）を釈放した。禁錮十カ月の刑期満了前だったが、「受刑態度良好のゆえ刑期短縮」と説明された。

真の理由が、サミットで中国の人権批判が盛り上がるのを防ぐことにあったのは明らかで、中共らしい、分かりやすい世論工作だった。

しかしもし周庭が、カメラの前で中共批判を展開すれば逆効果となる。それはできないと確信できるほど十分に、精神肉体とも痛めつけたということだろう。釈放直後メディアに囲まれた周庭は、一言も発せず友人の車に乗り込み、その場を去った。以前より痩《や》せ、顔には生気がなかった。

翌六月十三日に閉幕したG７サミットは、共同宣言に次のように謳《うた》った（外務省訳）。

我々は中国に対し、特に新疆《しんきょう》との関係における人権及び基本的自由の尊重、また、英中共同声明及び香港基本法に明記された香港における人権、自由及び高度の自治の尊重を求めること等により、我々の価値を促進する。

「我々の価値」が問われる局面の一つが、二〇二二年の北京冬季オリンピックへの対応である。人権弾圧の司令部がある北京で中共の党威発揚に協力するなど論外だろう。

理想は北京五輪の完全ボイコットおよび代替大会の開催である（仮称「自由オリンピック」）。アスリートは何ら傷つかない。それどころか、誇りを持って子や孫に「自由オリンピック」参加を語ることができよう。

日米欧カナダからなるG7には、国際大会に耐えるハイレベルなスキー場やスケートリンクがいくらもある。分散開催方式を取れば、代替大会の準備に大きな支障はないはずだ。

中共は、ボイコットした国には激烈な報復を加えると脅しているが、G7全てに制裁を掛ければ自分の首を絞めるだけである。

バイデンに圧力をかける共和党の有力政治家たち

アメリカでは、バイデンに決断と指導力発揮を求める声が、共和党の有力政治家を中心に次第に高まっていった。

口火を切ったのはポンペオ前国務長官である。

二〇二一年二月十六日、FOXニュースとのインタビューで、凄《すさ》まじい人権抑圧が続く中国でオリンピックを開催し、中共に「プロパガンダ上の勝利」を与えてはならないと強調している。

トランプ政権末期に、中共は新疆において、「ジェノサイドおよび人道に対する罪を犯している」と初めて「ジェノサイド」という言葉を公式に用いた人物である以上、当然だろう。

ここで、通常「集団殺害」と訳されるジェノサイドの定義を、ジェノサイド条約に即して見ておこう（一九四八年、国連総会採択）。かなり広い定義になっている。以下の訳文は、有斐閣『国際条約集』から引いた。編集代表の岩沢雄司東大名誉教授は、二〇一八年以来、国際司法裁判所の判事を務める、この分野の権威である。

この条約において集団殺害とは、国民的、人種的、民族的又は宗教的な集団の全部又は一部を集団それ自体として破壊する意図をもって行われる次のいずれかの行為をいう。

(a) 集団の構成員を殺すこと
(b) 集団の構成員に重大な肉体的又は精神的な危害を加えること
(c) 全部又は一部の身体的破壊をもたらすよう企てられた生活条件を故意に集団に課すこと
(d) 集団内の出生を妨げることを意図する措置を課すこと
(e) 集団のこどもを他の集団に強制的に移すこと

ジェノサイド条約を日本は批准していない。しかし中国は批准している。すなわちこの定義を受け入れている（驚くべきことに北朝鮮も批准している）。

従って、ナチスのアウシュビッツ収容所のような事態が進行しているとは言えないのに（少なくともそこまでの証拠はないのに）ジェノサイドと呼ぶのは極端だといった議論は当たらない。物理的な大殺戮《さつりく》でなくとも、上記の「いずれか」の状態を含めば、国際法上はジェノサイドに当たる。そして、当事者の少なからぬ証言や中共当局の普段の行状に照らせば「有罪」を疑う理由はない。

ここで、アメリカにおける代表的なボイコット論者で、「共産中国を止めよ」（Stop Communist China）を政治活動のスローガンにしているニッキー・ヘイリー元国連大使の主張を見ておこう（二〇二一年二月二十五日、ウェブ版ＦＯＸ）。ヘイリーは女性初、インド系初のホワイトハウス入りを目指す、共和党の次期大統領候補の一人で、メディアの注目度も高い。

かつて仕えたトランプ前大統領が「選挙を盗まれた」と主張し続けていることには批判的だが、中国への圧力強化など政策面におけるトランプのリーダーシップは高く評価しており、緊張をはらみつつもトランプ支持層との関係が大きく壊れてはいない。

ヘイリーはまず、「もしナチス・ドイツがその後どういう存在になるか分かっていたら、アメリカは一九三六年のベルリン・オリンピックに参加しただろうか」と問いかけた上、「中国の対外的脅威および国内での暴政に照らせば、アメリカは二〇二二年北京五輪をボイコットせねばならない」と断言する。

ここで注意すべきは、現在の中共は一九三六年段階のナチスよりはるかに危険かつ暴圧的な存在だという事実である。

一九三三年に政権を握ったナチスは、当初、ユダヤ人に対して嫌がらせを通じた追い出し政策を取った。それ自体論外ではあるが、かつてのソ連、現在の中国や北朝鮮のように、「反政府分子」に出国を許さず、収容所で虐待、殺害をほしいままにしたわけではない。まだそこまではできなかった。

ユダヤ人商店が軒並みガラスを割られ、住居やシナゴーグが襲撃、放火されるなどした、いわゆる水晶の夜（クリスタル・ナハト）事件は、ベルリン五輪から二年を経た一九三八年十一月九日のことであった。予兆は十分にあったとはいえ、「五輪の頃はまだヒトラーの悪魔性が見抜けなかった」という言い訳にも一定の合理性はある。

ナチスの対外侵略の第一歩と言えるオーストリア併合もやはり一九三八年三月で、ベルリン五輪の後だった。すなわち国内の弾圧の質においても、対外的脅威の質においても、ベルリン五輪当時のドイツは現在の中国より格段に弱く、曖昧《あいまい》な存在だった。

「スポーツと政治は別。ヒトラーが主催した五輪でさえ、アメリカを含む多くの国が集まった」云々《うんぬん》は従って、北京五輪参加を正当化する論理にはならない。

ヘイリーのボイコット論の紹介に戻ろう。

「長きにわたるチベット蹂躙《じゅうりん》、最近における香港の自由圧殺、民主台湾に対するほぼ連日の脅迫」、武漢ウイルスを巡る情報隠し、「そして何よりも新疆における暴虐な弾圧」を見れば「中国が向かう方向は明らかである」とヘイリーは言う。

当然の指摘であり、「これは、アメリカが冬季五輪参加によって栄光に浴させて良い国ではない」という一句に正面から異を唱え得る人はいないだろう。

ボイコットといえば常に問題になるのが、アスリートが可哀想ではないかという点である。

ヘイリーは次のように言う。


何年ものトレーニングを経たアメリカのアスリートたちから競技の機会を奪うべきではないと論ずる人々もいるだろう。確かに、われわれの偉大なアスリートのことを思うと激しく胸が痛む。しかし迫害を受けている何百万人という人々、脅威を受けているさらに何百万人という人々の置かれた状況と比較して考える必要がある。競技から得られる個々の、あるいは国家としての栄誉は、アメリカを導く原則の堅持ほどには重要でない。

ここまではっきり言い切れる政治家は、おそらく日本にはいないだろう。自由主義陣営のリーダー国で大統領を目指す政治家にふさわしい。

ただし、先にも述べた通り、ボイコットだけでなく、代替開催地の用意にも触れた方がより説得力を持つだろう。

ボイコットに同調しない友好国には報復も

ヘイリーは、バイデンが率先してボイコットに動き、同盟国にも同調を促さねばならないとし、日本の名前も挙げている。

冬のオリンピックは、とりわけ人権問題において実績を残してきた自由主義国が占める度合いが大きい。カナダから西欧、中欧、スカンジナビア、さらに日本、韓国に至る国々である。

文在寅《ムンジェイン》政権の韓国については違和感があるが、陸上でアフリカ勢、ジャマイカ勢などが活躍する夏の大会と違い、冬は、欧州、北米、日本が参加しなければ、単なる「中国・ロシア（・

南北朝鮮）大会」と化す。ボイコットが競技レベルに与えるインパクトは夏に比べ、相当大きい。

ヘイリーは同盟国に対し、牽制《けんせい》の言葉も投げかけている。

もしアメリカが人権問題を理由にオリンピックをボイコットすれば、上記諸国は、そうした暴虐な体制を支えていると見られることに二の足を踏むのではないか。

二〇一九年に出した回顧録でヘイリーは、国連大使としての経験を踏まえ、原則問題で背信行為に出た「友好国」については、決して不問に付さず、しかるべき報復を加えねばならないと説いている。でなければ、アメリカは安心してカモにできると思わせてしまう。この辺り、トランプと感覚が似ている。

最後にヘイリーは、「自由世界のリーダーなら、あの邪悪な政権にイメージ上の大勝利を与えてはならない。アメリカは二〇二二年北京五輪をボイコットしなければならない」と改めて強調している。

議会の突き上げにバイデンは決断できるのか

米議会では、リック・スコット上院議員（共和党）が中心となり、六人の同党議員を共同提案者に得て、「人権を重んじる国」への開催地変更をＩＯＣに求める決議案が上院外交委員会に提出された（一月二十二日）。毎年大量に出される決議案の一つとはいえ、スピード感が日本の国会とは違う。

同決議案を出した議員たちのコメントから注目すべき部分を引いておこう。

「いかなる状況下でも、オリンピックは世界最悪の人権蹂躙国の一つで開催されてはならない」（スコット上院議員）

「中国共産党は人民を抑圧し続けている。われわれはそれを新疆におけるジェノサイドや香港で見てきた。二〇二二年冬季五輪の北京開催を許すことは、それらを黙認することに他ならず、あってはならない」（ジェームズ・インホフ上院議員）

「ウイグル人ジェノサイドは、中国共産党にオリンピックの開催資格を失わせた」（トム・コットン上院議員）

「ジェノサイドに該当する途轍《とてつ》もない人権蹂躙に積極関与している国が、オリンピックにせよ

その他の国際的スポーツイベントにせよ、開催国になる栄誉を与えられるなど正気の沙汰《さた》ではない」（マルコ・ルビオ上院議員）

「中国共産党の戦慄《せんりつ》すべき人権蹂躙の歴史に目をつぶってはならず、五輪のホスト国という地位を付与することで共産党指導部に褒賞を与えてはならない」（トッド・ヤング上院議員）

この決議案が出された後、上院の承認審査に掛かったブリンケン国務長官候補、ウェンディ・シャーマン副長官候補らは、これらの共和党議員から「新疆ウイグルで継続中の事態をジェノサイドであり、人道に対する罪であると認めるか」と念を押された。

上院議員には慣例上、候補者の答えが不満な場合、「ホールド」（待った）を掛ける権利がある。審査を行う委員会に、一人でもホールドを宣言する議員がいると、一定期間、手続きが止まる。

そのためブリンケンもシャーマンも、おそらく適当にかわしたいのが本音だったろうが、「イエス」と明言せざるを得なかった。

シャーマンの場合、ルビオ議員の書面質問に、当初、「イエス。中華人民共和国は新疆において人道に対する罪とジェノサイドを犯してきた（has committed）」と完了形で答えたため、ルビオから、なぜ現在進行形で答えないのかと再追及され、曖昧さのない形に回答し直している。

議会から政府に対するこうした突き上げは、イギリスやカナダでも見られる。

イギリスでは、二〇二一年二月、野党自由民主党のエド・デイビー党首が、「中国が新疆の収容所を閉鎖し、ウイグル人に対する民族浄化をやめない限り五輪選手団を送ってはならない」と主張し、ボリス・ジョンソン首相に回答を求めた。

ジョンソンは、「新疆でウイグル人に加えられている身の毛もよだつような行いにスポットライトを当てたサー・エドは正しい。政府としては、英国企業が間違っても人権蹂躙に関与したり利益を得たりしないよう対策を立ててきた」としつつも、「スポーツのボイコットはこの国において通常好むところではない。それはわが政府従来の立場でもある」と一歩引いた立場を取った。

もっとも前年十月にドミニク・ラーブ外相が、「一般論としては、スポーツと外交、政治は分けられるべきと感じるが、それが可能でなくなる一線というものもある」と述べていた。その際ラーブは、ウイグル人と宗教を同じくするイスラム諸国が声を上げないのはおかしいとも語っている。確かに、中国の援助攻勢に牙を抜かれるようでは、イスラム諸国の執権者たちは鼎《かなえ》の軽重を問われよう。

イギリスでは与党保守党の有力者からもボイコットを求める声が次第に強まっていった。二〇二一年七月十五日、ボイコット運動を主導するティム・ラフトン議員が下院議場で、「二〇〇八年北京五輪の際、ＩＯＣは、五輪開催が中国の人権状況改善に道を開くと約束した。起こったのは全く逆のことだった」と、今度こそ明確なメッセージを発しなければならないと強調した。

元保守党党首のイアン・ダンカン・スミス議員も、「中国は国際的批判に敏感だ。なぜそう言えるか。批判する人間に制裁を科してくるからだ」と述べ、ボイコットは政治的効果があると主張している（ちなみにラフトンもスミスも、この時点ですでに中共から制裁を科されていた）。

カナダでも、やはり野党保守党のエリン・オトゥール党首が、冬季五輪の開催地を北京から移すべきだと早くから主張してきた。その際、「カナダは立ち上がらねばならない。ただし単独で突進する必要はない」とＮＡＴＯ諸国に働きかけるよう政府に求めている。

またカナダの下院（定数三三八）は二〇二一年二月二十二日、中国政府はウイグル人にジェノサイドを行っていると確認した上で、冬季五輪開催地の変更を求める保守党提出の動議を賛成多数で採択した。与党自由党の議員を含む二六六人が賛成し、残りは棄権で、反対票を投じた議員はいなかった。

以上、米英加三カ国とも、より自由に発信できる野党がボイコット論を先導している。もはや日本の野党と比べる気も起こらない。

なお、カナダでは、ギー・サンジャック元駐中大使が、二〇二二年冬季五輪はとりあえず一年延期とし、その間に北京以外の開催地を探すべきだと提言してニュースになった。ここでも、日本の元駐中大使で、北京の反発を買うのが必至な同様の主張を公にし得る人がいるだろうかと考えると嘆息せざるを得ない。

同大使は率直に次のようにも言う。中国は開催地変更を唱える国に強烈な報復を加えると示唆しているが、良い仲間の一員として行動するなら怖くない、「そして中国に対して率先立ち上がれる国はアメリカだけだ」。

関連して、こういうエピソードがある。

二〇一八年十一月、マイク・ペンス副大統領が、トランプ政権を代表する形で、中共を全面批判した「ペンス演説」を行った。そのひと月後、来日した同副大統領に、安倍首相が開口一番、「アメリカが対中姿勢を明確にすることは重要だ。日本のような国は、強いスタンスを支持するが、米政府がリードしてくれて初めて可能になる」と語ったという。

確かにそれが現実だろう。結局アメリカ、突き詰めたところ、大統領たるバイデンの意志と行動力が問題となる。

モスクワ五輪ボイコットの経緯

ここで、ジミー・カーター大統領（民主党）が主導し、日本を含む六五カ国がボイコットした一九八〇年のモスクワ五輪のケースを見ておこう。なおモスクワに選手団を送ったものの、開会式でも表彰台でも自国の国旗を掲げず、抗議の意思を表した国も一五を数えた。

特筆すべきは、当時反ソ的姿勢を取っていた中国もボイコットに加わった事実である。中国政府は、「スポーツの政治問題化はオリンピック憲章に背く」と北京五輪ボイコットの動きを牽制してきたが、主催国の行為が一線を越えた場合、ボイコットも正当化されるとの立場を、自ら示した過去があるわけだ。

付け加えれば、最も先鋭な反米政権だったイランも、隣国かつイスラム教国のアフガニスタンへのソ連軍侵攻は許せないとしてボイコットに参加している。ならば、やはりイスラム教徒たるウイグル人の虐待も座視できないはずだろう。

以下、当時カーターの補佐官（国内問題担当）だったスチュアート・アイゼンスタットの優れた回顧録や関連資料をもとに、モスクワ五輪ボイコットに至る経緯を追っておこう（Stuart E. Eizenstat, *President Carter: The White House Years*, 2018）。

オリンピックの開催地をモスクワから移すべきとの主張は、人権団体を中心に数年来行われていた。しかしボイコット論が一気に高まったのは、一九七九年十二月二十七日のソ連軍アフガニスタン侵攻以後である。

当初カーター政権は、ソ連指導部が軍の撤退方針を明確にするならば五輪ボイコットはしない方針で事態の推移を見守った。

しかし撤退の動きが見えないため、カーターはブレジネフ書記長に書簡を送り、①五輪開催を一年延期し、その間にソ連軍がアフガニスタンから撤退する、②撤退実現の暁には米国選手団をモスクワに送る、という妥協案を提示した。しかしソ連側はこの提案も無視した。

そこでカーターは政権幹部と再協議し、「今から五輪全体を他の場所に移すのは無理だ。モスクワ以外で分散開催するしかない。将来的には、ギリシャを恒久開催地とすることも検討すべき」との考えを示した。

側近からは、五輪までまだ半年以上あるのでもう少し様子を見たらどうかとの声も出たが、カーターは、「はっきり確認しておく。モスクワでオリンピックが開催される限り、われわれは行かない」と明言したという。

アスリートやスポーツ好きの国民には打撃となるものの、ソ連指導部の権威に与える打撃はそれ以上に大きいというのがカーターの判断だった。

このとき、カーター以下政権幹部全員の頭にあったのは、一九三六年のベルリン五輪にアメリカが参加して、結果的にヒトラーの政治宣伝に利用された「恐るべき実例」だったという。先にヘイリーの議論で見たポイントである。

もっともカーターは同時に、五輪の夢に人生を賭《か》け、苛酷なトレーニングを積んできたアスリートたちを絶望に追い込んではならない、代替開催地を必ず用意せねばならないとも強調した。

一九八〇年一月二十日、カーターは正式に、ソ連軍が一カ月以内にアフガニスタンから撤退しない限り、アメリカはモスクワ大会に参加しないとの声明を発した。代替大会を準備するためにも、決断をそれ以上先送りはできなかった。カナダ政府も直ちに同調を表明した。

この間、米議会がボイコット支持決議を超党派で通したことも、政権が意思を固める上で大きかったという。

アンドレイ・サハロフはじめソ連の著名な反体制活動家から、五輪ボイコットは虐げられたソ連国民を鼓舞する重大なメッセージになると決断を促す声も寄せられていた。

ボクシング界のレジェンド、モハメッド・アリのように、アフリカ諸国を回ってボイコットを説き、カーター政権を支援したアスリートもいた。

こうした中、選手や関係者を統括する米国オリンピック委員会も、苦渋の決断だったが、モスクワ五輪不参加を宣言した。

アメリカの方針は固まったが、米国選手団だけに犠牲を強いるわけにはいかない。以後カーター政権は、同盟諸国に対し、同調を求める動きを強めていく。

カーターは、演説やインタビューなど様々な手段を通じて、「モスクワ五輪への参加は非倫理的であり、スポーツマンシップに反する」とのメッセージを国際的に発していった。

中でも「四つの最も影響力ある国々、すなわちアメリカ、中国、西ドイツ、日本」が不参加を決めたことが決定的な意味を持ったとアイゼンスタットは言う。

代替大会については、「自由の鐘クラシック」（Liberty Bell Classic）の名で、かつて合衆国憲法制定会議が開かれた米国フィラデルフィアにおいて陸上の国際大会が実施された（ペンシルベニア大学が会場）。二九カ国が参加し、中国も選手団を送り込んでいる。

他にも、総称して「オリンピック・ボイコット・ゲームズ」と呼ばれる各種競技の国際大会が分散開催された。

「自由の鐘クラシック」参加諸国の前回モントリオール大会における獲得メダル数を合わせると全体の約七割となる。開幕日をモスクワ五輪前に設定したため、スケジュールの合わない選手も少なからず出たが、より余裕をもって準備できていれば、こちらの方が五輪と呼ぶにふさわしい大会になっただろう。

なお五輪ボイコットは何もモスクワ大会が最初ではない。一九七六年モントリオール五輪でも、アパルトヘイト政策を取る南アフリカでラグビーの交流試合を行ったニュージーランドをＩＯＣが追放しなかったとして、二四カ国が抗議のボイコットをしている。

北京五輪は「ジェノサイド五輪」の名で、一九三六年ベルリン五輪以上に悪名高い大会として歴史に刻まれることになる。そのことを自覚して行動できない人間は政治家失格だ。

「外交ボイコット」はジャブに過ぎない

二〇二一年五月十八日、米議会のナンシー・ペロシ下院議長（民主党）が、中共の人権弾圧に抗議するため、北京五輪に選手団は参加させつつ、開会式への首脳出席を見送る「外交ボイコット」を行うべきだと提唱した。

これに対し、中国「戦狼外交」の顔である趙立堅報道官が翌日、「強烈な不満と断固とした反対を表明」し、「五輪を卑劣で政治的な悪だくみに使うのをやめるべきだ」「スポーツの政治化は五輪憲章の精神に背いている」などと述べ、ペロシ案は各国の賛同を得られず「思い通りにならない」と牽制した。

趙氏の一見激越な言葉にもかかわらず、中共としては、「ボイコット」がペロシ案程度の線で収まるなら御の字だろう。幹部一同、密かに胸をなでおろしたはずである。というのは、滞りなく終わったロシア・ソチ五輪の再現に過ぎないからである。

二〇一四年二月七日に開会式が行われたソチ五輪では、ウラジーミル・プーチン大統領が開会を宣言した。

その場に、アメリカのオバマ大統領、バイデン副大統領、フランスのオランド大統領、ドイツのメルケル首相、イギリスのキャメロン首相らＧ７首脳クラスの姿はなかった。もっとも安倍首相は出席している。

この「外交ボイコット」は、前年にロシアが、未成年者への「非伝統的な性的関係」に関する情報提供を禁じる同性愛プロパガンダ禁止法を制定したことへの抗議として行われた。各国の保守派にとっては、趣旨としては理解できる法であり、安倍の出席を非難したのは左翼だけである。

ロシアによるウクライナ領クリミア半島の併合は、ソチ五輪閉幕後のことで（三月十八日）、開会式「外交ボイコット」の理由とはなっていない。

問題は、中共による人権蹂躙が苛烈さを増す中、ロシアの同性愛宣伝禁止に対して行ったのと同レベルの対応でよいのかだ。

現に共和党からは、ペロシ案では生ぬるいとの声が即座に上がっている。下院人権委員会共同委員長のクリス・スミス議員は、ペロシ発言があったその場で、「国連ジェノサイド条約はジェノサイドを犯した政府は罰せられねばならないと規定している」とした上で、「国際オリンピック委員会（IOC）とアメリカを含むすべての関係者には、新たな開催都市を見つけるか、ボイコットするよう、またわが大企業には、ジェノサイド五輪を手助けしたり、スポンサーになったりしないよう強く促す」と述べている。

確かにジェノサイド条約は第四条で、「ジェノサイドを犯した者は罰せられねばならない」と強調している。そもそも条約の正式名自体、「ジェノサイド犯罪の防止および処罰に関する条約」で、「処罰」（punishment）の文字が入っている。

民主党からも、ジム・マクガバン下院人権委員長が、「虐待行為を行っていない国に会場変更する時間をIOCに与えるため開催を一年延期すべきだ」と述べるなど、ペロシ案では不十分とする意見が出た。

なお二〇二一年七月九日には、欧州議会が、やはりEU加盟各国に北京五輪「外交ボイコット」を求める決議を圧倒的多数で通している（賛成五七八、反対二九、棄権七三）。

「ジョージア州選挙法改正」批判でバイデンにブーメラン

先述の通り、この問題で決定的役割を果たすべきは米大統領バイデンである。バイデンに対する米国内の圧力は、一見関係のないジョージア州選挙法改正をめぐる争いを機に一段と高まった。

二〇二一年四月六日、野球の米大リーグ機構（ＭＬＢ）が、その年のオールスター戦の開催地をジョージア州アトランタからコロラド州デンバーに移すと発表した。すなわち抗議の意思表示としてのスポーツイベント・ボイコットおよび開催地変更である。

三月に同州で成立した新選挙法が人種差別的だからとの理由であった。多くのスポンサー企業もＭＬＢの決定を支持する声明を出した。

これに対して保守派が、逆に大リーグや同調企業のボイコットを呼びかけるなど闘いはヒートアップした。

新選挙法の何が論点となったのか。簡単に見ておこう。

ジョージア州は知事が共和党、議会も共和党優位だが、二〇二〇年の大統領選ではバイデン候補が僅差で勝利を収めた。ただし、選挙期日（投票日）の票ではトランプ候補が六〇パーセントを獲得したのに対し、期日前投票では逆にバイデン候補が六五パーセントを獲得するねじれ現象が見られた。

その時点の州法では、正規の投票日には「写真付き身分証明書」（以下、写真ＩＤ）の提示を義務付ける一方、期日前投票はサインだけでＯＫと、本人確認の強度にズレがあった。これが不正につながったというのが共和党側の主張であり、期日前投票においても写真ＩＤの提示を義務付けるというのが主な改正点であった。

この改正をバイデンは、「黒人差別法の筋肉増強版」と呼び、強く非難した。黒人は、人種偏見に満ちた法執行当局によって犯罪者扱いされ、写真ＩＤを持ちにくい構造があるとの理屈である（なお黒人は、九割以上が民主党に投票する傾向にある）。

一方共和党側は、真面目に暮らす人間なら何の問題もなく写真ＩＤを得られ、黒人にその能力がないと考える方が人種差別的だと反論した。要するに民主党は、なりすましなどの不正を続けたいだけだろうというわけである。

大リーグに対しても、予約チケットの受け取りに写真ＩＤの提示を求めるＭＬＢが、ジョージア州の同種システムを人種差別的と批判するのは筋が通らないとの声が上がった。

なお写真ＩＤは運転免許証やパスポートが代表例だが、ジョージア州知事は、申請に応じて無料の写真ＩＤを発行するとしている。

話はここから北京五輪につながっていく。投票方法の微調整を重大な人権侵害と非難し、オールスター戦の会場変更を支持するバイデンが、自由選挙を否定し、ジェノサイドを敢行する中共に選手団を送るのはおかしい、速やかに五輪ボイコットを宣言せよというわけである。同じく、ジョージア州選挙法に批判声明を出した企業に対しても、それなら五輪はもちろん、今後中国で開催されるイベントで一切スポンサーになるなという抗議メールが殺到したという。

もう一つ興味深い動きがあった。

四月十四日、共和党の有力議員らが上下両院に「プロ野球における競争法案」を提出した。一九二〇年代以来、反トラスト法（日本の独禁法に当たる）の適用除外としてきたMLBの独占興行権を剥奪《はくだつ》するとした内容である。

提案者の一人、ルビオ上院議員は、「オールスター戦の会場を移すという、ジョージア州を罰する不埒《ふらち》な政治的動きによって、MLBはその特権によって得た市場力を無責任に用いた。今や議会は、特別扱いを見直す義務がある」と述べている。

ホーリー上院議員はさらに露骨に、「左翼ツイッター暴徒に屈服し、選挙の公正をめぐるバイデンの大嘘を支持することによって、MLBは適用除外のいかなる権利をも失った」と論難した。

この法案が成立すれば、「第二大リーグ」を立ち上げることが可能になる。当面、実現の方向にはないが、アメリカにおける「政治とスポーツ」をめぐる論議は、アイデンティティ・ポリティクス（差別強調政治）の先鋭化とともにますます熱を帯びてきている。

媚中派につぶされ醜態を演じる日本の国会

北京五輪に話を戻せば、無条件参加と全面ボイコットの間にいくつか中間段階がある。最もゆるい政府関係者の開会式不参加から、選手団の開会式ボイコットを経て、最後に全面ボイコットが来る。

中共が人権弾圧の度を上げるにつれ、ボイコットの度を上げて対抗せよという国際世論も高まっていく。

しかし、二〇二一年六月十三日に閉幕した通常国会で、新疆ウイグル、チベット、南モンゴル、香港等における「深刻な人権侵害」を非難し、これを「防止し、救済するために必要な法整備の検討」を謳った国会決議案を成立させられなかった日本は最も弱い環と言える。

米議会は、拘束力の弱い非難決議を超え、制裁条項を持った香港人権・民主主義法案を二〇一九年、ウイグル人権法案を二〇二〇年、それぞれ超党派で通している。トランプ大統領も署名し、成立済みである。

媚中《びちゅう》派の山口那津男《やまぐちなつお》公明党代表らに決議案をつぶされた日本の国会は、周回遅れどころかスタート地点で転倒して担架で運び出される醜態を見せた。

五輪開催に利権を有するＩＯＣの幹部を中心に「ボイコットは政治的効果がない」との発言が常に聞かれる。しかし、政権への打撃効果の有無や程度は客観的に証明不能であり、断言すること自体、知的不誠実の表れでしかない。

中共の報道官がボイコット論を盛んに罵倒《ばとう》するのは、一定のマイナス効果を自覚するからだろう。韓国で東京五輪ボイコット論が出たとき、日本人の多くは「どうぞ」と軽く受け流した。中共の反応はそれとは明らかに違う。

また大会スポンサーへの批判が高まり、北京五輪「応援」から撤退する企業が相次げば、経済的なマイナスは明らかに生じる。こちらは単純計算できる世界である。

ボイコットは一種の道徳的声明であり、発する側の内部にも触媒効果を及ぼす。モスクワ五輪ボイコットはアフガニスタン侵攻を理由としたが、北京五輪ボイコットが実現すれば、人権問題を高く掲げた初のケースとなる。教育をはじめ様々な面に好影響が及ぶだろう。

「ボイコットは効果がない。黙って参加するしかない」は中共にとって最も好都合な敗北主義である。

東京五輪開幕の前日、開閉会式のショーディレクターを務めていた小林賢太郎が、ナチスによるユダヤ人ジェノサイドをネタにした過去のコントを咎められ、解任された。菅首相は「言語道断」と厳しく非難した。この首相発言に異議や留保を唱える政治家はいなかった。二十年以上前の、本人も「愚か」と認め、謝罪している一セリフが「言語道断」なら、現在進行形の、一切認めも謝罪もしていない中共の権力犯罪行為は、文字通り言語を絶するだろう。日本の政治家は、言動の首尾一貫を問われることになる。

(3)スパイ活動への法執行

法よりも厳格な法執行こそが重要

厳しい罰則条項を持ったスパイ取締法があっても、それだけではスパイ行為はなくならない。「厳格な法執行」が欠かせない。

まず悪い例を見ておこう。二〇一五年九月、ホワイトハウスで開かれたオバマ・習近平会談で、「米中は、サイバーによる知的財産の窃盗を行わず、知りつつ支援を行うこともしない」

旨が合意された。中国が一方的にサイバー窃盗を行っている状況下、「両国」を主語にするのは恥ずべき妥協だとの批判が米国内で上がったが、ともかくも中国側に中止を約束させた。

ところが米連邦捜査局（ＦＢＩ）によれば、首脳会談後に一旦減少した中国のサイバー犯罪は、数カ月後には元のレベルに戻っている。米側は本気で取り締まってこないと見た中国側が、動きを旧に復したわけだろう。結局オバマは、何ら有効な手を打てないまま任期を終えた。

二〇一七年一月に就任したトランプ大統領は当初、「独裁国家なのだから、あなたが命令すれば瞬時にサイバー窃盗はやむはずだ」と個人的に習近平に対応を迫ったが、無視され続けたため、憤怒の度を高め、法執行当局であるＦＢＩと司法省に徹底した「中国シフト」を敷くよう指示した。

所持品の秘密検査や盗聴といった踏み込んだレベルの捜査は、法律上、ＦＢＩにしか認められない（後述の通り、裁判所の了承はいる）。ＦＢＩに対しては、常時、各方面から膨大な量の捜査依頼がある。しかし人員の面でも予算の面でも「捜査資源」は限られている。「中国シフト」を敷くとなれば、その他の案件を多数後回しにせねばならない。高度な政治判断、すなわち大統領トランプの決断が重要だった所以《ゆえん》である。

二〇二〇年九月に、ＡＢＣテレビが、「内部情報によれば、トランプ大統領がＦＢＩに対し、防諜絡みの捜査はロシアでなく中国を最優先せよと指示していた」とあたかもスキャンダルのごとく報じたが、政争の具であったに過ぎない架空の「ロシア疑惑」ではなく、本命たる中国のスパイ活動に捜査の力点を移すようトランプが的確な指示を出したと評価すべきだろう。第1章で詳述した「トランプ錯乱症候群」のさらなる一例である。

スパイ摘発は時間がかかる

過去の大物スパイ摘発例から、実際のプロセスを見てみよう。

二〇〇一年九月二十一日、国防省国防情報局（ＤＩＡ）の女性分析官アナ・モンテスがスパイ容疑で逮捕された。モンテスは、機密情報を長年にわたってキューバ政府に渡してきた事実を認めた（Scott Carmichael, *True Believer*, 2007）。

最初に「モンテスが怪しい」との情報がＤＩＡ内部の監察官に寄せられたのが一九九六年四月。逮捕の五年前のことであった。

その後も不審な行動を伝える情報が続いたことから、二〇〇〇年、ＤＩＡ監察官がＦＢＩに対し、「全面人物調査」（full field investigation）の実施を依頼した。先述の通り、盗聴や所持品の無許可検査など「プライバシーを侵す」捜査はＦＢＩにしか認められない。

もっとも個々のＦＢＩ捜査官に裁量権はない。容疑者の人権保護のため、まずＦＢＩ内部で何重もの手続きを経る必要がある。その上で、特別裁判所たる外国情報活動監視裁判所から捜査令状を得る必要がある。

モンテスを担当したＦＢＩ捜査官は、約三週間の予備調査の結果、疑惑に十分な根拠ありと判断し、「全面人物調査」の必要を上司に具申した。それが二〇〇〇年十一月十七日のことである。

ＦＢＩ上層部が「可」と決裁したのが十二月中旬。しかし、国家安全保障に関わる問題では、裁判所に令状請求する前に、さらに司法省の情報政策検証室による審査および許可を得なければならない。

司法省の審査でも「可」となり、ＦＢＩが裁判所に「全面人物調査」開始を請求し、令状が下りたのが、二〇〇一年二月中旬である。

ここから盗聴など非常手段を用いた捜査が始まり、証拠が固まってモンテス逮捕となったのがさらに七カ月後、ＦＢＩによる予備調査開始から数えれば約一年を経てのことであった。

以上がＦＢＩのスパイ捜査における標準作業手続きである。かなりの時間が掛かることが分かる。

しかし、中国側が警戒感を強める中、各段階の処理をより迅速に進めねばならない。トランプが「中国シフト」を指示した後の二〇一九年十一月十九日、上院国土安全委員会捜査小委員会の公聴会で、FBI防諜部のジョン・ブラウン次官補が、「中国の計画の脅威について現在レベルの知識を持っていたなら、過去において当然もっと迅速かつ包括的な行動を取っていたと思う」と振り返った上、「その埋め合わせをすべきときは今だ」と述べている。

二カ月後の二〇二〇年一月二十八日、FBIは、ハーバード大学の化学・化学生物部門トップで、ナノテクノロジーの世界的権威、チャールズ・リーバー教授を、中国政府の人材獲得「千人計画」（後述）に密かに参加し、金銭を受領しながら申告しなかった虚偽陳述の罪で逮捕、即座に司法省が起訴した。

名門ハーバードの指導的教授の逮捕、立件となれば、当然世界的なニュースとなる。実際日本でも報じられた。一罰百戒のアナウンスメント効果を狙《ねら》い、FBIと司法省、教育省が初動段階から緊密に連携していたと言われる。

次いで二〇二一年一月、規定に違反して、中国政府から秘密資金（約二九〇〇万ドル）を受け取るのみならず、「その日的達成のため積極的に働いていた」として、中国生まれで米国籍、やはりナノテクノロジーが専門のガン・チェン・マサチューセッツ工科大学（MIT）教授が逮捕起訴された。

MITもハーバードも、進歩派の牙城《がじょう》と言うべきマサチューセッツ州ケンブリッジにキャンパスを構える。民主党エリートの養成校と言うべく、教授陣も進歩派で固めた、まさに民主党・メディア複合体の知的聖地である。オバマもハーバード大学法科大学院の出身だった。

第2章の冒頭に引いたレーガンの日記の一節に、当時、大統領選に初挑戦していたバイデンの演説場所としてハーバード大学ケネディ・スクールの文字があった。バイデンにとって、ここでの講演は権威付けのため非常に重要であった。

従ってオバマやバイデンが、ハーバードやMITの権威を落とすような捜査に徹底して当たるようFBIに命じるとは非常に考えにくい。一方、トランプの場合は全く逆に、「ハーバードか。徹底的にやれ」ということになる。

トランプ政権後期で進んだ「中国シフト」の法執行

トランプ時代後期における法執行「中国シフト」の実態を数字で見ておこう。

二〇二〇年夏、公安警察のトップであるクリストファー・レイFBI長官（七月七日）、検察の最高責任者であるウィリアム・バー司法長官（七月十六日）が連続講演を行った。

レイはまず、過去十年間に中国による経済スパイ事件は一三倍に増えているとした上、「現在一〇時間に一件の割合で中国絡みの防諜事案の捜査を始める状態にある。全米で捜査中の五〇〇〇件の事案のうちほぼ半数が中国に関連している」と強調した。明確な「中国シフト」と言えよう。

中国政府は、二〇〇八年に開始した海外ハイレベル人材獲得作戦、通称「千人計画」(Thousand Talents Program) を通じて、「科学者たちに、特許の窃取や輸出規制違反に当たるか否かにかかわりなく、知的財産を密かに中国に持ち帰るよう促している」とレイは敷衍《ふえん》する。

同時期、議会でこの問題の追及を主導してきたロブ・ポートマン上院捜査小委員長(共和党)も、自らが入手した「千人計画」の契約書には、参加する科学者に対し、①自国ではなく中国の法律に従うこと、②契約を秘密に保つこと、③若手研究者をリクルートすること、④獲得した知的財産をスポンサーとなる中国機関に引き渡すことなどを義務付ける記述があったと明らかにしている。

レイはさらに、アメリカの事業体から企業秘密を盗み、中国で特許を取ったうえ、本来の開発者である米事業体にジュニア・パートナーとしての合弁事業参加を持ち掛けてきた「言語道断」のケースもあったと指摘している。

中共は日本でも、知的成果を窃取する同様の作戦を展開してきた。日本政府は二〇二〇年六月末、大学の研究室が国から研究開発費の補助を受ける際、外国組織からの資金授受についての開示を義務付ける方針を打ち出した。また外国人研究者や留学生に詳細な研究歴の申告も求めるとした。

米政府は、中国軍に関係のある研究者や「留学生」の受け入れは認めず、虚偽申告には厳罰で臨む方針を立て、すでに実行に移している。日本もさらなる対応が必要だろう。

レイは、中共によるハッキング被害の大きさにも触れている。

もしあなたがアメリカの成人なら、中国はすでにあなたの個人データを盗んでいると見ておかねばならない。二〇一七年に中国軍が（米大手信用情報会社の）エクィファクスにハッキングを仕掛け、米国民一億五〇〇〇万人分の個人情報を盗み取った。アメリカの全人口の約半分を意味し、大人のほとんどはデータを取られたことになる。

他にも連邦政府の人事管理局が公務員の個人情報を、大手保険会社や大手ホテルが顧客情報を、中国にハッキングされたケースがあるという。

いずれもかねて部分的には報じられた事例だが、これらの窃取情報は当然、中国政府による特定個人に対する脅迫や買収工作に用いられる。

「中国案件」の捜査件数に触れたレイFBI長官に続き、バー司法長官が起訴件数に言及し、

「連邦における経済スパイ起訴事案のうち約八〇パーセントが中国国家を利するだろう行為に関連している。企業秘密の窃取事案のうち約六〇パーセントが中国につながりを有している」と指摘した。

特に、「コロナウイルス勃発《ぼっぱつ》のもみ消しがバレたため、何とか医学的なブレイクスルーを主張して宣伝戦での大成果を得ようと必死になっている」北京は、コロナの治療薬やワクチンに関する知的財産をアメリカの大学や企業から盗むべくハッキングに余念がないと付け加えている。

そして総括としてバーは、「これらすべての事例から次のことが明らかだ。中国の支配者らの究極的野望は、アメリカと貿易（trade）することではない。アメリカを乗っ取る（raid）ことだ」と強調した。

トレイドとレイドと韻を踏んだこの表現は、ポンペオ国務長官もその後の演説で、バーの的確な総括として引用している。

バーはまた、中共は経済界のリーダーたちを取り込んで代弁者に使うべく力を尽くし、相当程度成功していると指摘している。この辺り、日本も事情は同じだろう。

中国よりも「国内右翼シフト」に動くバイデン

問題は、バイデン政権が、このトランプが敷いた法執行「中国シフト」を維持できるかどうかである。答えは早々に、少なくとも一旦、ノーと出たようだ。

政権発足直前の二〇二一年一月六日に議事堂乱入事件が起こったこともあり、バイデンはFBIに「国内右翼シフト」を取るよう強く促した。同時に、トランプが優先順位を下げた「ロシア」を再び集中捜査の対象にする方針も明らかにした。その分、「中国」に割ける捜査資源は減らざるを得ない。

バイデン、ハリス正副大統領の姿勢に即して、国内右翼、ロシア以外にも、人種偏見に侵された（と民主党が主張する）警察組織、反同性愛的な宗教団体、「環境破壊に邁進《まいしん》する」化石燃料関連企業など、FBIの捜査資源は分散を余儀なくされる傾向にある。中共にとってはありがたい展開だろう。

加えてバイデンは、連邦検察官（計九三名）のうち、トランプが任命した全員に、二〇二一年二月末日を期限に辞表を出させた。

検察官の任命権は司法長官（ひいては大統領）にあり、政権が代われば入れ替えが起こるのは通常の話だが、発足一カ月余りで前任者が任命した全員を辞めさせた例は過去にない。解職された検察官の中には、中国のスパイ案件の捜査、起訴、公判維持に当たってきた人々も多数含まれる。後任には、主として「黒人の命は大事」運動などにシンパシーを持つ左翼の法律家が当てられていく。

司法長官人事も見逃せない。バイデンが起用したメリック・ガーランド長官は、直近には連邦控訴裁判事だったが、最初に名が知られたのは、合衆国史上最悪の右翼テロと言われるオクラホマ市庁舎爆破事件（一九九五年）の主任検察官としてであった。この人事も、バイデンによる「国内右翼シフト」の一環と言える。

ガーランドは六月十六日、「ＦＢＩの見方としては、国内最大の暴力的過激派の脅威は、特に白人至上主義を主唱する人種的、民族的動機に裏打ちされた勢力から来ている」とのビデオメッセージを出した。従って、そちらに捜査資源を集中的に割くというわけである。

実際、バイデン政権発足以来、ＦＢＩは、テロ組織の一員とは到底言えない「個人参加型」の議事堂乱入者までその人脈を徹底的に洗い、関係者を含めて監視するなどに相当な人員と費用を注ぎ込んでいる。

保守派からは、トランプ支持勢力を危険なものに見せたい政治的思惑からＦＢＩに無駄な活動をさせるのではなく、真のテロ組織や外国スパイ機関に集中して当たれという批判の声が強く出ている。

一方、民主党の左派議員からは逆に、国内右翼団体は海外の右翼団体と連携しているから、ＦＢＩは外国の右翼過激派にも捜査範囲を広げるべきとの意見が出されている。仮にそうした方向にＦＢＩ、司法省が動けば、「中国案件」はますますおろそかになるだろう。

他国の法執行に、日本が口を出せる部分は少ないが、まず自らがしっかり「中国シフト」を敷いた上で、米側にも同調を呼びかけていくべきだろう。

(4)経済のデカップリング(切り離し)

結局は米国次第

二〇二一年六月十三日のＧ７サミット共同宣言に次のようにある。官僚用語が続くので、重要部分に絞って引いておこう。

我々は、個人を強制労働から守り、グローバルなサプライチェーンが強制労働の利用に関わらないことを確保するため協働し続ける。……我々の基本的価値観と原則を反映した効果的な基準設定を支持するため、標準化機関に関する協調を強化する。

これは、自由主義諸国が用いうる製品の基準を「人権」の観点から設定し直し、デカップリング（分断）を進めるという趣旨である。

デカップリングは、特に戦略的に重要なサプライチェーン（調達・供給網）からの中国排除を意味するが、この点、バイデン政権は、議会の圧力もあり、トランプ路線をとりあえず受け継いだ。すなわちファーウェイはじめ中国の情報通信企業に対する締め付けや、懲罰関税の維持である。

最先端テクノロジー分野で中国の覇権を許さないという点については、アメリカの政界でおおむね合意が成立しており、相当程度法律化もされている。しかしスパイの摘発と同じく、重要なのは執行体制である。そこにほころびが出れば中共は間違いなく突いてくる。この点、バイデン政権は危うい。

中国は、デカップリングに対抗し、脱炭素化時代の肝となる半導体や蓄電池を中心に、自前のサプライチェーン構築を急いでいる。最重要ポイントの一つが半導体製造装置である。自由主義陣営はここを厳しく締めねばならない。

ところがバイデン政権発足以来、日本企業は中国への納入ペースを加速させてきた。例えば二〇二一年四月の日本の対中輸出額は、まさに半導体製造装置の大幅な輸出増により前年比三四パーセントの増加、金額で見ても四月としては過去最大を記録している。

トランプ政権なら、制裁を梃子《てこ》に待ったを掛けてきたはずだが、バイデン政権の動きは鈍かった。そしてこの間、アメリカ企業も半導体製造装置の対中輸出量を増やしている。欧州企業も、アメリカの横槍がないのを見て、輸出ドライブを掛けた。結局アメリカが緩めば、全体が緩むのである。

対中国へ反撃の秘密会合

トランプ時代には、対中デカップリングを進めるため、とりわけ商務省令が多用された。商工会議所からの要望の政官界への仲介などが主任務で、「二流官庁」と言われた商務省だが、トランプ政権下で一躍、「対中戦争」の最前線に躍り出た。同省が持つ輸出入ガイドライン設定権を、攻撃にフル活用するよう大統領が指示したためである。

その結果、アメリカの半導体テクノロジーを用いた製品は第三国で作られたものであっても中国企業への販売を認めない、違反した場合は米市場から排除するのみならず、経営者の刑事責任まで追及するといった強硬策が積み上げられていった。

これには、米政府部内に散在し鬱屈《うっくつ》していた反中勢力が、トランプの登場によって活性化されたことが大きい。

トランプは、経済界における長年の友人ウィルバー・ロス（一九三七年生）を商務長官に起用した。しかし、ほどなく見限っている。

政権発足当初、鶏肉、牛肉などに関する中国との部分的市場開放合意を「画期的成果」として発表しようとしたロスを、トランプは、「弱い」「救いがたい」「ウィルバーの女房が可哀想だ」などと面罵《めんば》し、記者会見を取りやめさせたという。高齢のせいか会議中に熟睡するといった振る舞いもあり、ロスは次第に重要決定の場から外されていった。

こうして長官が「干された」状態にもかかわらず、なぜ中国の急所を突くような商務省令が次々発せられていったのか。

ワシントン・ポストのジョシュ・ロギン記者が丹念な取材をもとにまとめた『天の下の混乱——トランプ、習近平そして21世紀に向けた闘い』に興味深い記述が多々ある（Josh Rogin, *Chaos Under Heaven: Trump, Xi, and the Battle for the Twenty-First Century*, 2021）。

なおロギンは若い頃、横浜で英語教師を務めた関係で、日本語もある程度分かる。ファクト重視の姿勢を崩さず、バイデン近衛兵的なポスト紙にあって貴重な存在と言える。

さて、トランプ政権発足以降、中共の対米工作を身をもって経験し、反撃の必要を感じる有志たちが集う秘密会合に、ロギンも呼ばれるようになった。有力紙の記者として、その発信力に期待されたのだろう。

会の拠点は、ワシントンの連邦議事堂から数ブロックの距離にある、ある赤レンガの建物だった。場を提供したのは中国生まれの女性ダイモン・リューで、長年、米政府出資の対外放送ボイス・オブ・アメリカで働くとともに、中共打倒を目指す亡命者たちの束ね役としても活動していた。幼少期に、毛沢東の「大躍進政策」で飢餓に苦しんだ経験がそのルーツにあるという。

会を創設し、仕切り役となったのはピーター・マティス。トランプ政権で国防長官を務めたジム・マティスの甥で、ＣＩＡの対中防諜部門で分析官として働いた経験もあった。

招集されたのは、ホワイトハウスや各省庁、議会あるいは民間企業で働く中堅、若手の有志たちだった。各人が遭遇した中共の工作活動の実例を持ち寄り、具体的対策を話し合った。「中共がもたらす被害を子や孫に持ち越してはならない。われわれの世代が立ち上がらねばならない」が合言葉だったという。

トランプのもとで対中政策を統括したポティンジャー安保副補佐官も、この会の関係者だった。ポティンジャーは、かつてウォールストリート・ジャーナルの記者として中国に赴任中、反体制派との接触などの廉《かど》で当局の厳しい尋問を受けたこともある。

先に触れた通り、中国語に堪能で、中共の公文書や公式メディアのみならず、SNSの世界も日々チェックしているという。中国専門家として誰もが一目置く存在だった。

そのポティンジャーが、強硬路線に即した対中政策文書をまとめ、トランプ大統領の承認を得たことが、様々な成果につながっていく。各省庁の各部署で対中宥和派や事なかれ主義者が優勢な中、逼塞《ひっそく》していたハードライナーたちが「大統領指示」を盾に一斉に動き出した。有力議員たちが超党派で後押しする姿勢を取ったことも大きかった。

こうしたワシントンの構造変化に照らして、ハイテク分野の輸出入管理がトランプ以前の甘い状態に戻ることはないはずだが、ポティンジャーやキース・クラック国務次官（台湾訪問を含め対中経済包囲網形成に当たっていた）など実務の司令塔となっていた人々が一斉に政府から去ったことで執行体制が緩んだ。

ハイテク分野は動きが激しい。新たな展開に機動的に対処せねばならないが、先に触れた半導体製造装置の対中輸出ドライブは、対処に失敗した顕著な一例と言える。

またバイデン政権においては、大統領の問題の次男ハンターと中国政府系の投資会社「華信能源」社長葉簡明《ようかんめい》（その後、中国で収監）との巨額資金が絡んだ不透明な関係があり、中共側が何か弱みを握っている可能性もある。ハンターは、麻薬中毒、アルコール中毒、女性問題などを常時抱えていた上に、機微な情報が入ったパソコンを修理に預けて取りに行かないなどガードが非常に甘い人物だからである。

バイデンもカーターのように〝豹変〟するのか

バイデンはトランプと違って自分は同盟国との協調や多国間の枠組を重視すると強調してきた。一見、日本にとって好都合な話に聞こえる。

しかし中国の体制転換といった歴史的課題に取り組むに当たっては、同盟国の政府や企業であれ、足を引っ張る行為に対して制裁で臨む冷徹さも必要である。

典型例が、中共のスパイ機関の顔も持つ情報通信機器最大手ファーウェイへの対応であった。

米議会の強硬保守派とトランプ政権がタッグを組んで進めたファーウェイ排除に同盟国の多くは消極的だった。バイデンが言うようにコンセンサスを重視し、とりわけ消極的なドイツの説得に時間を費やしていたなら、二〇二〇年中に、５Ｇ（第5世代移動通信システム）市場はファーウェイに席巻されていただろう。情報通信の世界は展開が早い。同盟国間の合意形成に過度にこだわるなら、それ自体が中共を利する行為となる。

イギリス、次いでフランスが当初の消極姿勢を変え、ファーウェイ排除に動いたのは、トランプ政権が、同社と取引のある企業をアメリカ市場から締め出す方針を明確にしたためである。取引の存在を隠して米国で商売を続けた場合は、巨額の罰金に加えて経営幹部の逮捕や収監もあり得た。先に商務省令に関して触れた通りである。

個々の企業は中共の報復や嫌がらせに弱い。アメリカの制裁圧力に逆らえないと言い訳できる状況は、対中関係においては一種の救いでもある。その意味で、米政府は、中共に厳しいと同時に同盟国にも厳しい存在でなければならない。

なお5Gネットワークからのファーウェイ排除を、安倍政権はアメリカの同盟国中、最も早く決めた。トランプが安倍に信頼を寄せたのは、こうした行動があってのことである。

バイデンにトランプのような突破力や決断力がないと言っても、一九七九年のソ連軍アフガニスタン侵攻のような事態を中共が引き起こせば、議会と世論の圧力も受け、相当レベルの制裁発動のやむなきに至るだろう。弱腰と言われ続けたジミー・カーター大統領も、一夜にして対ソ強硬派に変貌《へんぼう》した。

そのとき、多数の人質企業を中国に抱えていると、日本は破滅的な損害を被ることになる。

(5) 気候変動問題

中国を「パートナー」にするのは致命的誤り

バイデン政権は、気候変動こそが「安全保障上最大の脅威」と位置づけ、脱炭素に関しては、中共は「パートナー」だと主張してきた。これは致命的な誤りとなりかねない。

中共側は「パートナー」となるに当たって、当然様々な条件を付けてくる。米側が台湾に高性能兵器を売却するようでは協議の場に着けない。懲罰関税を撤廃しないようでは協議の場に着けない。ウイグル、チベット、香港、南モンゴル等の人権問題に関して制裁を強めるようでは協議の場に着けない、等々である。

実際、例えば二〇二一年一月二十八日、中国外務省の趙立堅報道官は、「中国は気候変動についてアメリカや国際社会と協力する用意が出来ている。ただし、特定の分野における米中協力は、二国間関係全般と密接にリンクしている」と牽制し、バイデン政権に対し、協調に「ふさわしい環境」を作るよう求めた。

中国外交を仕切る楊潔篪《ようけつら》（中国共産党中央政治局委員）もアントニー・ブリンケン国務長官に対し、台湾、香港、チベット、新疆ウイグルは「中国の核心利益」であり、「越えてはならないレッドラインを構成する。いかなる進入も米中関係及びアメリカ自身の利益を掘り崩す」と強調し、対立点はあっても「パートナー」たり得るという米側の幻想に冷水を浴びせている（二〇二一年三月十八日、アラスカでの米中外交トップ会談）。

悪しき前例がある。二〇一四年十一月十二日、北京を訪問したオバマ大統領は、習近平国家主席と温室効果ガスの削減目標で合意できたとして共同宣言を発表した。

米国が二〇二五年までに〇五年比で約二六パーセント排出量を減らすのに対し、中国は二〇三〇年前後をピークに排出量を削減していく（すなわち、二〇三〇年までは排出量を増やし、その後は適当に努力する）というに過ぎなかったが、オバマ政権はこれを、「世界の二大排出国である米中が削減目標を明らかにしたことで、他国にも同様の動きが広がる」と盛んに喧伝《けんでん》した。

「世界の二大排出国」という部分が味噌で、中共にそっぽを向かれると、この科白《せりふ》が使えず、排出量三位以下の国々に睨《にら》みを利かせられなくなる。脱炭素にこだわるオバマは以後、習近平に足元を見られていく。

中共が、習近平が国家統計局長を呼んで「大幅に排出量が減ったと発表しろ」と一言命ずれば、いくらでも数字を操作できる独裁体制である事実は忘れられた。というより、世界中の進歩派によって意図的に忘れられた。そして、「米中合意により、最大の障害がクリアできた」というフィクションの下、翌二〇一五年十二月、温暖化パリ協定が締結された。

既述の通り、その数カ月前の同年九月、ワシントンにおけるオバマ・習近平会談で、①サイバー窃盗を行わない、②南シナ海を軍事化しないなどの合意がなされていた。これらを習近平は綺麗《きれい》に反故《ほご》にしたが、オバマは何ら強い対抗措置を取らなかった。習に臍《へそ》を曲げられてパリ協定が崩壊しては困ると恐れたためである。

結局、中共は、ハナから守る気のないパリ協定に「協力」するパフォーマンスを通じて、その他の米中合意まで悠々と「破り逃げ」できた。バイデン政権は、この何重にも愚かだったオバマ政権（バイデン自身、副大統領だった）の轍《てつ》を踏みかねない。

トランプ政権は全く違う立場を取った。すなわち、①気候変動ではなく、中共こそが安全保障上最大の脅威、②気候変動に関して中共と協議すべきことはない。従って、協議のために「環境作り」がいるといった発想もなく、トランプ政権自身パリ協定から脱退する中、中共としても気候変動を外交カードに使いようがなかった。

極めつきの中国「宥和派」ジョン・ケリー

バイデン政権の場合、基本認識もさることながら、新設の気候変動問題担当大統領特使（Special Presidential Envoy）に極めつきの宥和派ジョン・ケリー元国務長官（一九四三年生）を当てた人事が非常に危うい。

ケリーは閣僚級（すなわち一対一で直接大統領と会える）かつ国家安全保障会議（ＮＳＣ）のフルメンバーという、通常「特使」ではあり得ない破格の待遇で迎えられた。

バイデン（一九四二年生）とほぼ同年齢で、上院議員を長年務め、外交委員長など要職を歴任した後、オバマ政権で国務長官として外交全般を取り仕切ったケリーは、他の政権幹部を圧する大物である。僅差でブッシュに敗れはしたが二〇〇四年大統領選の民主党候補でもあった。

同性婚推進以外何の実績もなく、上院議員一期目途中で副大統領になったカマラ・ハリスなど、ケリーから見れば、単なるぽっと出の小娘だろう。

国務長官のブリンケン（一九六二年生）も、かつてケリー国務長官の下で副長官、すなわち部下だった人物である。またブリンケンは、議員や首長など選挙を経るポジションに就いたことがない。

コロンビア大学の法科大学院を修了後、数年間法律事務所で働き、その後は一貫して民主党の大統領や上院議員、国務長官の下で調整役的な仕事をしてきた。

具体的には、クリントン政権でNSCの欧州・カナダ担当部長、共和党のブッシュ長男政権の間は、バイデン上院外交委員長の首席スタッフ、続くオバマ政権でバイデン副大統領の安保補佐官、次いで国務副長官を務めた。

国務長官としては相当地味な経歴である。例えばオバマ政権の最初の国務長官はヒラリー・クリントンで、「マクベス夫人」と言われたほどの実力派ファースト・レディ、上院議員の経験を有し、誰もが認めるポスト・オバマの最有力候補だった。その後を継いだのが、やはり大物のケリーである。

ケリーが、国務長官ブリンケンを自分のスタッフ程度にしか見ていないとしても不思議はない。

俗な喩《たと》えになるが、バイデンが組長で「オヤジ」とすれば、ケリーは「オジキ」に当たる存在である。バイデン、ケリーの「トップ会談」で何事かを決めた場合、政権内で正面から異を唱えられる者はいないだろう。

実は私はケリーと、ほんの二言、三言ながら言葉を交わしたことがある。約一〇年前、所用で上院議員会館を訪れ、ちょうど目の前でドアが開いたエレベーターに乗ろうとしたところ、「それは議員専用」と脇から小さく指摘する声が聞こえた。表示を見ると確かにそうある。軽く会釈して、身を引いたところ、中にただ一人乗っていた長身の男が、「カモン。私の同行者ということにしておこう。乗ればいい」と招き入れてくれた。それがケリー上院議員だった。

思わず、「何といい人なのか」と感動しかけたが、ケリーが外国人も含め豊かな人脈を誇る秘密が分かったような気がした。

国務長官時代の二〇一四年、ケリーは中国の外交トップ楊潔篪をボストンの私邸に招き、二日間にわたって饗応《きょうおう》している（楊はイギリス留学組で英語に堪能）。アメリカにも対中宥和派は少なくないが、中共幹部とここまで親密な関係を作った政界実力者はケリーを措いてない。携帯番号を交換し、折に触れ連絡を取り合うようになったという。

ケリーは肩書上、気候変動担当だが、彼がその役割を自制的に定義すると見る人はいない。実際、バイデン政権発足後、閣僚クラスで最初に訪中したのはケリーだった（国務長官への配慮から、会談場所は北京でなく上海となったが）。

気候変動を「最大の脅威」と位置付ける政権では、あらゆる案件がその問題との関係で計られよう。ケリーが対中のみならず、外交全般に口を出しうるだけの足場は十分に組まれている。

中国側も、ケリーに花を持たせるような「画期的合意案」をちらつかせつつ、楊潔篪・ケリーの「個人的信頼関係」を突破口に対中包囲網の切り崩しを図ってくるだろう。

イラン核合意（次章で詳述）の前例に照らせば、ケリーは大幅な譲歩を重ねた上に、相手を合意につなぎ止めるため、「中国のセールスマン」と言われるような行動を取りかねない。

以下はある外務省幹部に聞いた話だが、イラン核合意から約一年を経た二〇一六年のある日、米国務省から、外相同士の緊急電話会談を行いたいと連絡が入った。急いで準備を整え、翌朝、岸田文雄《きしだふみお》外相に早めの出勤を促して電話を待ったところ、ケリーの口から出たのは、「形式的には制裁が解除されたものの、海外から投資が来ないとイランが不満を持っている。核合意を維持するため、急いで日本企業に大規模な投資を促してくれないか」との言葉だった。

およそ緊急の話とは思えないが、当時ケリーは日本のみならず、関係各国や米国内の大企業に同様の要請を繰り返していた。

米議会でも問題になり、ポール・ライアン下院議長（当時。共和党）が、「核合意のいったいどこに、ケリー国務長官がイランの筆頭セールスマンにならねばならないと書いてあるのか」と批判するなど、オバマ政権の無原則を叩く声が保守派の間で沸き上がった。

イラン核合意を崩壊させるわけにはいかないというオバマ政権の焦りを見透かしたイラン側

の揺さぶりは以後も絶え間なく続いた。中共がイランより甘い態度を取るはずがないだろう。

ケリーは国際政治の「読み間違い」に関しても、「ジョーは重要な外交、安全保障問題で判断を間違い続けてきた」（ゲイツ元国防長官）と言われるバイデンと双璧《そうへき》を成す。

例えば、「パレスチナ和平がない限り、イスラエルとアラブ世界の間で個別に平和が進むことは絶対にあり得ない」とケリーは公開の場で断言していたが、現実にはトランプ時代に、パレスチナ問題を棚上げした形での湾岸アラブ諸国とイスラエルの個別和平が進んだ。

ポンペオ前国務長官は、ケリーが右の発言をする映像に、「この中東『専門家』を覚えているだろうか。彼はあり得ないと言った。われわれは実現した」とのコメントを付けてツイートしている（二〇二一年一月十四日）。

進次郎&ケリーで日本は「公害列島」

その判断力の怪しいケリーの日本側カウンターパートが思考も言動も軽い小泉進次郎《こいずみしんじろう》環境相という構図は、途方もなく危うい。

中共は、脱炭素で「踏み込んだ対応」を取る代償を様々に求めてくる。その意向はケリーから、「二人でバイデン、菅《すが》両首脳を説得し、歴史を作ろう」という囁《ささや》きとともに小泉に伝えられるだろう。

国家統計局長が「統計は政治に従属しなければならない」と公言する中国においては脱炭素の目標数字など何の意味も持たない。気候変動に関して中共と交渉を考えること自体が不見識である。

小泉を環境相に起用し、エネルギー問題全般に関して発言力を持たせた菅首相の人事は大きな誤りだった。

二〇二一年五月二十七日、国会で珍しく、自民党議員同士の激しいやり取りがあった。参院環境委員会で滝波宏文《たきなみひろふみ》（参院福井選挙区）が小泉環境相に対し、「原子力を脱炭素電源として利用するか」と基本認識を質した。小泉は「最優先は再エネです」とたった一言、木で鼻をくくったような答弁で応じた。

その前に滝波が、「原発を使わなくて済むならその方がいい。ただし移行期というのも必要」という小泉のネット番組での発言を読み上げ、「大臣もエネルギーや原子力への理解が多少進んだようだ」と揶揄《やゆ》したことへの反発もあったのだろう。それにしても、国民注視の場であることを忘れた子供っぽい無責任な答弁だった。

本人もまずいと思ったのか、滝波の別の質問に答える際、自分は原発を「どのように残せるかではなく、どのようにしたらなくせるかという立場だ。自分たちの推進したい方向に発言を曲解するのはやめてもらいたい」と「補足説明」を行った。

しかし「曲解するな」と凄《すご》んだ割に中身は空虚である。小泉の答弁を通じて明らかなのは、「原子力を脱炭素電源として利用するか」という肝心の論点から何としても逃げたいという姿勢だけだった。

私は、脱炭素に関して、日本も米共和党的な立場を取るべきだと考えている。すなわち、

①テクノロジー開発を通じたエネルギーの効率利用を進める（その結果アメリカのCO_2排出量は年々減っている）、

②国内企業の競争力を弱め、家計の負担を増すような無理なCO_2規制は行わない、

③省エネテクノロジーの普及を図ることこそ先進国型の国際貢献と捉える、

④安全保障の観点からエネルギー自立を進める。

これらの基本原則を外れ、内向きの「脱炭素ファースト」に走ると、国力を弱めると同時に中国共産党政権を利することになる。環境規制の緩い中国の企業が国際競争に勝ち、活動量を増やせば、その分、有害物質の排出量も増える。太陽光パネルで最大シェアを誇る中国が、製造過程でどれだけ環境に負荷を掛けているか。そこに目を向けないなら、環境原理主義者としても失格だろう。

人権問題も重要である。

バイデン政権は六月二十四日、強制労働に関与したとして中国を拠点とする合盛硅業（ホシャイン・シリコン・インダストリー）など中国系数社からの太陽光パネル部材の輸入を禁止すると発表した。

同日、バイデン応援団のワシントン・ポストも、太陽光パネルで世界の半分のシェアを占める中国製は安価な石炭エネルギーと強制労働の産物だとする調査レポートを掲載し、政権の動きを後押しした。「クリーン・エネルギー」のこうした汚れた裏の顔も見なければならない。

太陽光パネルは、製造段階だけでなく、運用段階でも様々な環境破壊を生む。しかも、進歩派の毎日新聞でさえ、「全国で公害化する太陽光発電　出現した黒い山、田んぼは埋まった」と題する現地レポートを次の文章で始めざるを得ないほど状況は悪化している（二〇二一年六月二十七日）。

太陽光発電設備の設置が引き起こす景観や自然破壊などの問題が各地で深刻化している。毎日新聞が四七都道府県を取材したところ、八割がトラブルを抱えていることが分かった。原子力発電に代わる主力電源として期待されながら、全国で公害化する太陽光発電。何が起きているのか。

国家は侵略によるより、多く自殺によって滅びると言われる。今、小泉と野党、メディアの多くが無責任に掲げる太陽光幻想、脱火力、脱原発路線を止めなければ、日本は遠からず経済の破綻《はたん》した公害列島となり終わるだろう。

バイデンはさすがに過激反炭素の女神アレクサンドリア・オカシオコルテス（AOC）下院議員を閣内に入れることはしない。しかし菅は、AOC同類の小泉を閣僚に起用し、脱炭素の広告塔に使うのみならず、政策的にも相当引きずられてきた節がある。

同じく菅が重用してきた河野太郎《こうのたろう》も脱原発原理主義者である。小泉や河野が日本を自殺に引き込むのを許すようなら、菅は亡国宰相として歴史に名を残すことになろう。

このまま日本は「エネルギー敗戦」まっしぐらか

公害と奴隷労働を背景とした安価な太陽光パネルの輸出で得た外貨を用いて、中国は軍拡に邁進している。輸出先には日本も入っている。

一方、環境原理主義に叩頭《こうとう》するバイデン政権は二〇二一年四月、非効率な「脱炭素化投資」に空前の財政支出を行う一方、軍事費は実質減となる予算案を出した。化石燃料を敵視することで、トランプ時代に大きく進んだアメリカのエネルギー自立も損なわれつつある。二重に安全保障の基盤を掘り崩しているわけだ。

もっとも米国には、強力な牽制役として共和党が存在する。二〇二一年夏現在、下院はわずか九議席差で与党民主党が多数、上院は与野党同数だが、民主党でも、地元に化石燃料産業を持つ議員は急進的な脱炭素政策に同意しない。

要のポジション、エネルギー委員長を務めるジョー・マンチン上院議員はその代表格である。バイデン政権がいかに「野心的な脱炭素目標」を掲げても、関連予算の相当部分は議会を通らない。

過去には漫画的な光景もあった。二〇一九年に最左派がまとめた過激な「グリーン・ニューディール」決議案にカマラ・ハリス上院議員（当時）はじめ民主党議員の多くが賛意を表したが、共和党側が個々の議員の賛否を明らかにすべく強引に投票に持ち込んだところ、民主党の上院議員四七人中四三人が棄権した（共和党は全員反対）。

ハリスらは、「グリーン・ニューディール」という美しい響きの案に寄り添ったというイメージが欲しかっただけで、十年以内の火力発電所廃止、脱航空機といった無謀な案に賛成したという記録を残したくなかったのである。

アメリカは、トランプ時代に石油と天然ガスの生産量で世界一となった事実が示すように、共和党政権に替われればもちろん、中国との対立が激化した場合など、いつでも脱炭素路線を

「一時停止」して、エネルギー自立優先に立場を変えうる化石燃料大国である。

日本はそうはいかない。エネルギーの自立度を高めようと思えば、自前の技術で建設し運用できる原発を充実させるしかない。それは、国力を損なわずに脱炭素を進める道でもある。高効率で、CO_2をほとんど空気中に出さない最新型の石炭火力発電所も切り捨てる必要は全くない。

国際情勢を冷徹に見据えずに「脱炭素バスに乗り遅れるな」と自虐的政策を取り、同時に脱原発に突き進むのは明らかに自滅の道である。

ある程度省エネが進み、今や世界の炭素排出量の三パーセントを占めるに過ぎない日本で、炭素税に代表される懲罰的政策で一般家庭や企業をさらに絞り上げ、無理やりCO_2を減らしても、その程度は、桜島が一度噴火すれば一瞬にして水泡に帰す。愚かという他ない。

ちなみに鹿児島地方気象台によれば、桜島は二〇二〇年の一年間に二二一回「爆発的噴火」を起こしている。桜島から上がる噴煙は、「目を覚ませ」という自然のビンタと捉えるべきだろう。

しかし先述の滝波のように原発の新設を公開の場で明確に主張する国会議員はごくわずかである。原発立地地域福井の町議会、県議会、知事の方がはるかに「国のエネルギー政策推進に寄与する」と堂々と口にした上での政策決定を行っている。

ところが中央、すなわち国会は、自民党から共産党まで、いかにグレタさんに褒められるかを競う有様である。ブレーキのない車が坂道を下り始めた様に似ている。

副反応をめぐる訴訟リスクを恐れる政治が、ワクチン開発に後ろ向きとなり、それが武漢ウイルス禍における日本の「ワクチン敗戦」を招いた。

原発に関しても同じ構造のもと、日本政治は「エネルギー敗戦」に向けひた走っている。

⑹軍事戦略

国防予算八パーセントカットが米国の軍事戦略に与える影響

物理的暴力に頼って政権を維持している中国共産党は、対外関係においても力の信奉者である。自由主義陣営は常に抑止力を高めていかねばならない。

バイデン政権は、「国防総省の最大課題として中国の脅威に最優先で当たる」と宣言したものの、その二〇二二会計年度予算教書を見ると、巨額の脱炭素化投資やバラマキ福祉のあおりで、軍事予算は相当圧迫されている。

太田文雄《おおたふみお》元防衛庁情報本部長によれば、従来、国防基本予算とは別枠で組まれていた海外緊急作戦予算が廃止された結果、国防総省予算は全体として約八パーセント減った。加えて、新型コロナ対策費（五億ドル）、気候変動対策費（六・一七億ドル）を差し引き、インフレ率を考慮すれば、実質削減幅はさらに大きくなる。四年間でほぼ倍増させたトランプ時代と比較すれば、大幅なカットと言える。

このうち海外緊急作戦予算の廃止については、バイデン政権は、「今後は国防基本予算の枠内で戦争への対応や作戦継続のコストを賄うこととする」としている。

その背後には、「海外緊急作戦」の名目で毎年臨時予算が組まれ、軍事費が膨らんできたという左翼勢力の批判がある。今後、米軍の作戦行動には資金面からの制約が大きくなろう。その文脈において、同盟国との連携強化が謳《うた》われている。

要するに遠隔地での軍事作戦については、同盟国の働きに多くを期待するという意味に他ならない。

国防の「基本予算」は、新兵器の開発や各種装備の調達、基地のメンテナンス、演習経費などでほとんどが費消されてしまう。

一国で世界全体の軍事費の約四割を占める超軍事大国アメリカでは、軍事産業の裾野《すその》が恐ろしく広い。二〇二〇年秋の選挙の結果、ホワイトハウス、上下両院を握った民主党では「軍事費を削って福祉に回せ」と主張する左派が勢いを増している。しかし左派であっても、選挙を考えれば、地元の基地や軍関連企業に落ちる予算を安易に削らせるわけにはいかない。

二〇二一年一月以降、上院予算委員長に最左派で対外非介入主義者の代表格バーニー・サンダース議員が就いた。当然ながら、軍事費削減を強く主張している。

しかしそのサンダースでさえ、ロッキード・マーティンが中心となって開発したステルス多用途戦闘機F-35ライトニングⅡの部隊を地元バーモント州の空軍基地に誘致すべく熱心に運動し、大統領予備選で一時首位に立つ勢いを見せた二〇二〇年、首尾よく実現させた。

おかげでバーモントには、航空機部品の一大工業団地が育ちつつある。地元経済は潤った。「サンダース出馬の真の狙いはここにあったのか」と揶揄の声が上がったほどである。

反戦主義者のサンダースにして然り、後は推して知るべしである。結局、軍事費圧縮の矛先は米軍の海外経費に向かわざるを得ない。それは海外派兵反対という左派や孤立主義者の主義主張にも沿う。

上記の予算方針を決定した直後、バイデン大統領は、アルカイダによる同時多発テロから二〇周年に当たる二〇二〇年九月十一日までに米軍をアフガニスタンから完全撤退させると発表した。

米国の会計年度は十月に始まり九月に終わる。この決定も、特に記念日を意識したというより、十月から海外緊急作戦予算が無くなることを見込んだ措置と言えよう。

これに関連して重要なのは、横須賀を母港に、東アジア地域をカバーしてきた唯一の米空母ロナルド・レーガンを中心とする空母打撃群が、二〇二一年夏から約四カ月の予定で、米軍のアフガニスタン撤退を支援し、テロ勢力を海上から牽制するため中東に移動したことである。その間、東アジアは米空母不在の状態が続く。「中国の脅威に最優先で当たる」という方針と矛盾すると言わざるを得ない。

なお、米本土の安全に直結しない地域紛争には当該国およびその地域の同盟国が一義的に責任を持つべきだという発想は、民主党左派だけでなく、共和党のトランプ派にも共通する。外科手術的な空爆作戦などは別として、かつてのジョン・マケイン上院議員（共和党）のような海外介入積極派は今や少数である。

自衛隊単独で尖閣防衛を果たさなければならない

日本としては、そうした米政治の状況を前提として、尖閣有事など局地戦への備えを固めていかねばならない。

元来バイデンは、第2章で詳述した通り、オサマ・ビンラディン殺害作戦に最後まで慎重論を唱えるなど決断力を欠くことで知られる。

二〇二〇年一月にトランプ政権がドローンからのミサイル発射で成功させた、イランの対外テロ責任者ソレイマニ司令官の殺害作戦についても、バイデンは、「ソレイマニによる差し迫った攻撃の危険があったという証拠はなく、自分なら実行命令を出さなかった」と語っている。

バイデンは議会民主党と主流メディアの動向を何より気に掛ける。民主党・メディア複合体がおしなべて軍事介入を主張するような事態でない限り、海外に戦闘部隊を送らないだろう。

バイデンの「同盟国との連携重視」は、局地戦における同盟国の役割重視と同義である。オバマ政権が、二〇一一年のリビア危機に際して、まず英仏の軍事介入を期待する趣旨で用いた「背後から指導する」(lead from behind) はバイデン政権においても暗黙のキャッチフレーズとなろう。

尖閣有事に米軍が来援するとしても、最高司令官たるバイデン大統領の決断に時間が掛かり、また予算の制約から作戦期間が短期になる可能性が高い。米軍における即応能力と継戦能力の低下はすなわち、日本単独で相当期間持ちこたえねばならないことを意味する。

二〇二〇年四月の菅首相初訪米時に発表された日米共同声明に、「台湾海峡の平和と安定の重要性を強調する」とある。

米側から見て、太平洋と南シナ海の結節点にある台湾の戦略的重要性は、客観的に見て尖閣の比ではない。民主党系の識者には、台湾の防衛には相当な覚悟で臨まねばならないが、尖閣のような無人の岩を守るために米兵の血を流すなど論外と公然と口にする向きもある。

台湾海峡付近で活動する米軍を日本が積極的に支援することで、初めて尖閣防衛にも手を貸そうという雰囲気が米側に出てくると言っても過言ではない。

台湾の独立維持は、日本の安全保障にとっても緊要である。特に尖閣防衛と関連付けずとも、日米台の軍事協力強化を着実に進めねばならない。

第4章

暗雲漂う朝鮮半島

失敗続きのアメリカ外交政策

中国・北朝鮮の独裁体制が生き残る悪夢

二〇二一年四月三十日、ジェン・サキ大統領報道官が、バイデン政権における対北朝鮮政策の見直し作業が完了したと明らかにした。「われわれの政策は大取引（grand bargain）の達成に焦点を当てたものでも戦略的忍耐（strategic patience）に頼るものでもない」という。

複数の当局者に取材したワシントン・ポストによれば、「大取引」とは、トランプ政権のジョン・ボルトン安保補佐官が唱導したような「オール・オア・ナッシング・アプローチ」、すなわち完全な非核化達成時に完全な制裁解除を行う、それまでは一切妥協せず、北が主張する「相互的で段階的なアプローチ」（核活動の凍結など部分的「非核化措置」に部分的制裁緩和で応じる）は拒否するという行き方を指す。

一方、戦略的忍耐は、オバマ政権が自己正当化に用いた言葉で、要するに特に具体的解決を追求せず放置する行き方である。

ある当局者によれば、バイデン政権は「どこかその中間あたり」を目指し、「特定の措置に制裁緩和で応じる、注意深く、調整された外交的アプローチ」を取る方針だという。

一見「プロの外交スタンス」のように響くが（そして実際、そうした言葉でバイデン政権を評価する「識者」も多いが）、これはブッシュ長男政権の末期に、北の見せ掛けの「非核化措置」と引き換えに譲歩を重ね、結局制裁緩和をタダ取りされたライス・ヒル外交と言葉遣いがほぼ重なる（「ライス・ヒル」とは、コンドリーサ・ライス国務長官とクリストファー・ヒル国務次官補のコンビを指す。後述）。

中国に交渉への協力を求めるという姿勢も危うい。バイデンは、トランプとの第二回大統領候補テレビ討論会の場でこう述べている（二〇二〇年十月二十二日）。

私はオバマ政権を代表して訪中した際、北朝鮮の押さえ込みが米中ディールの一部になると明確にした。北朝鮮の脅威が続く限り、アメリカはミサイル防衛システムや米軍を中国近辺に配置する対抗措置を取らざるを得ない。それが嫌なら、中国は北朝鮮への圧力を強めるべきだ。

ここで言う「北朝鮮の押さえ込み」や「圧力を強める」が、北の体制崩壊を招くレベルの経済遮断を中国に要求するという意味なら分かるが、中途半端な「仲介努力」や北の核ミサイル「凍結」に米軍のプレゼンス低下で応じるなら、北朝鮮、中国という二つの独裁体制を共に生き延びさせる最悪のシナリオとなりかねない。

またあるバイデン政権高官はポスト紙に、「早期に北との関係を築くことが決定的に重要だ。関係構築の時間は限られている」と述べたという。

この高官は、ホワイトハウスに新設された「インド太平洋調整官」カート・キャンベルだろう。彼は同じ認識を、政権発足当初にオンレコで語っているからである。

大統領候補討論会で、先のバイデン発言に対しトランプは、自分が二〇一七年一月にホワイトハウスで引き継ぎを受けた際、「オバマは、北朝鮮が最大の問題で、このまま行けば戦争になると言った」と振り返り、「混乱を引き渡された」と当時副大統領だったバイデンの無策を難じている。

実は二〇〇九年一月の政権発足当初、オバマは食糧支援を呼び水とした米朝交渉を模索した。

しかし北が、同年四月五日に長距離ミサイル（テポドン2号）発射実験、五月二十五日に二回目の核実験と、立て続けに冷水を浴びせてきたため、米国内世論が硬化し、動けなくなった。その「動けない」を政治的に表現したのが先述の「戦略的忍耐」である。

キャンベルは当時、北との実務交渉が始まれば、取り仕切る立場にある国務次官補だった（二〇〇九年六月二十九日、上院の承認を得て就任）。結局何もできずに退任に至った忸怩《じくじ》たる思いが、今回は「早期に」という発言につながるわけだろう。

しかし、「北が過激な行動に出て世論が硬化する前に動かねば」という、焦りともとれる発言は、北に付け入る隙《すき》を与えかねない。嘘でも、鷹揚《おうよう》に構えるべきだったろう。

宥和的なバイデンの北朝鮮論

上院議員時代のバイデンに、北朝鮮との核交渉に関して注目すべき発言がある。見ておこう（二〇〇五年六月十四日、上院外交委員会北朝鮮問題公聴会）。

バイデンはまず、北朝鮮の体制転換（レジーム・チェンジ）はあり得ないと断言する。この辺り、一九八〇年代に、ソ連の体制転換はあり得ないと、レーガン大統領（当時）の強硬姿勢を冷笑的に批判した際と似ている。バイデンの辞書に「反省」の二文字はない。

われわれは、北のプルトニウム保有のような差し迫った脅威と、濃縮ウラン追求のような長期的脅威とを区別せねばならない。中国は北朝鮮に方向転換を迫るべきだが、アメリカが北を包容すべく真剣な努力をしているると見たときにのみ、そう動くだろう。中国と韓国は、アメリカが強硬にレジーム・チェンジを追求しても支持しない。従ってそうした選択肢は捨てねばならない。

続いてバイデンは、宥和政策への嫌悪を表明しつつ、宥和政策を支持していく。この辺りも彼らしい。

誰も北朝鮮に宥和政策を取りたいとは思わない。しかしわれわれはまた、核兵器を持たない北朝鮮は、その体制への嫌悪にもかかわらず受け入れ可能だとはっきり示さねばならない。われわれは他の、ひどい人権蹂躙を行っている国、テロを支援あるいは黙認している国、大量破壊兵器計画を進めている、例えばパキスタンのような国、ミサイル拡散に携わっている国、脅威となる形で通常戦力を配備している国等々と共存していけているようだ。

バイデンは、北朝鮮の人権蹂躙を再度厳しく非難する。その上で、人権問題を棚上げすべきだと主張する。これまたバイデンに特徴的な姿勢である。

私は一瞬たりとも北朝鮮の人権蹂躙、テロ支援などを容認しない。しかし、私の父が生前よく言っていたことだが、「息子よ、もしすべてが同じくらい重要なら、それはお前にとって何も重要ではないということだ」。今、私にとって真に重要なことが一つある。それは、彼らが貯め込み、あるいは兵器化し、新たに生産しているプルトニウム、彼らが生産法を追求している高濃縮ウラン、これらをいかに取り除くかという問題だ。

要するに人権問題は棚上げして、北の核問題を「包容」政策を通じて解決すべきだという主張である。このときバイデンはすでに六十二歳。その後認識を進化させたと見るべき根拠はない。

対北ハードライナーの代表格ボルトンが好んで引く言葉に、「カモは毎分生まれる」（There's a sucker born every minute.）がある。進んで騙《だま》される客は次から次に現れる、を意味するある有名な興行師の感懐である（なおこの興行師、Ｐ・Ｔ・バーナムを主人公にした映画「グレイテスト・ショーマン」がある。二〇一七年公開）。

北朝鮮に再び騙されないためには、歴史に学ばねばならない。以下、イラン核合意（失敗）、リビア・モデル（成功）、ヘッカー・プラン（失敗確実な「専門家」案）、ライス・ヒル外交（日本も絡んだ失敗）の順に見ていきたい。

「最悪のディール」イラン核合意の問題点

バイデン政権は、きわめて宥和的なイラン核合意（二〇一五年七月）をまとめた人々が顔を揃える点で、本質的に危うい政権である。

当時副大統領だったバイデン大統領を筆頭に、国務長官だったケリー気候変動特使、国務副長官だったブリンケン国務長官、交渉代表を務めたウェンディ・シャーマン国務副長官、バイデン副大統領の安保補佐官として、またシャーマンの補佐役として水面下の調整に当たったジェイク・サリバン安保補佐官など、イラン核合意を「オバマ外交最大の成果」と位置付ける人々がバイデン「外交チーム」の中核をなす。

正式な外交チームの一員ではないが、ホワイトハウスの国内政策会議委員長を務めるスーザン・ライスは、イラン核合意時の大統領安保補佐官だった。情報機関の長であるウィリアム・バーンズCIA長官も、国務副長官として、瀬踏み段階の秘密交渉を担った人である。

トランプ政権は、このイラン核合意を「最悪のディール」と批判し、二〇一八年五月に離脱した。共和党議員の大半のみならず、民主党議員の一部もこれを是とした。イラン核合意の何が問題か。簡単に整理しておこう。

なお、同合意は、イランとアメリカに英独仏中露を加えた七カ国間で成立した。北の核問題をめぐる六者協議（米朝日中露韓）と枠組が似ている点に注意したい。

①イランの核活動を「制限」するだけで、核の放棄どころか凍結ですらない（例えば、イランが保有するウラン濃縮用の遠心分離機約一万九〇〇〇本の内、約五〇〇〇本の運転は継続して認める。残りも解体せず、イラン自身が保管）。

しかも十年ないし十五年の時限取り決めであり、期間が過ぎればイランは自由にウラン濃縮ができる。ちなみにパキスタンが核爆弾を得るのに要した遠心分離機の数は三〇〇〇本だった。

「イランが核兵器獲得を目指しても、獲得まで一年は掛かる状態を少なくとも十年間維持できる」とケリーらは、複雑な言い方で「成果」を強調したが、オバマ大統領自身、「合意から十三年ないし十五年後には、核兵器獲得までの所要時間はほぼゼロになる」と認めている。

すなわち、反対派が批判したように、「イランが仮に合意を守っても十数年後には核兵器を保有し得る」、せいぜい遅延効果を持つに過ぎない内容であった。

②検証規定が甘い。例えば、イランは核爆発実験の疑いがある施設の土を、放射能検査のため国際原子力機関（ＩＡＥＡ）に引き渡さねばならないが、イラン自身が採取して送るとなっている。下院議員時代のポンペオらが大いに問題にした点である。

ある共和党議員はこれを、「ドーピング検査のサンプルを選手自身が採取し、郵送しても構わないというに等しい」と表した。要するに、核兵器開発の「過去は問わない」内容であった。

③ミサイル開発、配備に何の制限も課していない。

④テロ放棄を迫っていない。

⑤拉致問題を棚上げした。特に注目されるのはレビンソン事件である。

二〇〇七年三月、イラン領内でCIAの外部契約者ロバート・レビンソン元FBI捜査官が失踪《しっそう》した。体制の不正に関して情報収集中だったとされ、イラン革命防衛隊による拉致と見られる。

約三年後、オレンジの囚人服を身にまとい、「ヘルプ・ミー」と書いた紙を持たされたレビンソンの写真と、「健康状態がよくない」と語るビデオ映像が家族のもとに送られてきた。悪質な揺さぶりであった。

オバマ政権は、イランが拉致を否定したまま解放できるよう、レビンソンはパキスタン近辺で武装勢力に拘束されたとのフィクションに基づいた解決シナリオを打診した。が、事態は動かず、その後安否情報も途絶えた。イランは関与を否定したままである。

イラン核合意を政権最大の外交遺産としたいオバマとしては、前政権時代に起こった拉致に足を取られたくなかったのだろう、それ以上レビンソン事件を追及することはなかった。「即時無条件の解放を要求すべきで、全体の取引の中に埋もれさせてはならない」と主張したルビオ上院議員はじめ共和党からは、厳しい批判の声が上がったが、民主党側はおおむね沈黙の体であった。

オバマ政権は、以上のような問題点にもかかわらず、見返りとして、イランに対する国際的な経済制裁の大半を解除した。米金融機関が凍結していたイラン政府資金も自由な引き出しを認めた。

イランの人質外交にも、事実上屈している。二〇一六年一月十七日、スパイ容疑でイランが拘束していたワシントン・ポスト記者など四人の解放と引き換えに、オバマ政権は箱詰めにした四億ドルの現金をイランに空輸し、政府当局者に引き渡した（イランは米政府のテロ支援国リストに入っているため、銀行間の送金は出来ない）。

米側は、制裁法違反で拘束中のイラン人七人に恩赦を与え、指名手配中の一四人を免訴とした上、身代金まで付けたわけである（オバマ政権は、凍結解除した在米イラン資金の一部を渡したもので、日にちが重なったのは偶然と主張）。

なお、イランはその後、新たに米国人二人をスパイ容疑で逮捕している。次の揺さぶりに備えた人質確保だった。

オバマには、制裁を解除し、国際社会に迎え入れることで、イラン指導部はより責任ある行動を取るようになるだろうとの期待があったと言われる。しかしイランは、オバマの願望と裏腹に、制裁解除で得た資金の多くを配下のテロ集団への武器供与など、対外破壊活動のレベルアップに注ぎ込んでいく。

シャーマン国務副長官の責任

ここで、イラン核合意の米側交渉代表を務めたウェンディ・シャーマン国務副長官（一九四九年生）に一言触れておこう。

シャーマンは、大学卒業後、左翼の福祉活動家として経歴をスタートさせ、民主党下院議員の補佐官や民主党選対本部の職員を長く務めた。大量破壊兵器拡散防止の専門家でも、中東やアジアの専門家でもない。

ところが、クリントン政権で、まず議会との法務を担当する国務次官補、次いで進歩派のマデリーン・オルブライト国務長官の外交顧問に抜擢《ばってき》され、政権末期には、北朝鮮政策調整官として北とのミサイル交渉に当たった。

バイデン政権では、広く浅く外交全般に関わる国務副長官の立場だが、過去の経緯に鑑み、対北交渉に関与するかも知れない。要注意である。安倍晋三《しんぞう》前首相に次のような証言がある。

クリントン政権の頃、来日したウィリアム・ペリー北朝鮮政策調整官と補佐役のウェンディ・シャーマン（のち、ペリーの後任となる）が、私を含む政界の対北強硬派を食事会に招いた。拉致問題が話題になり、ペリーが「アメリカなら海兵隊を送っている」と語った。次いでシャーマンが、「日本にそれができるのか。日本は軍事力を使えないという。では話し合いしかない。話し合いとなれば、妥協や譲歩、取引がつきものだ」と追い打ちを掛けてきた。不愉快だったが、実態を反映してはいた。

シャーマンは、自分の退任後、ブッシュ政権が圧力強化路線に転じたことを批判し、米朝ミサイル協議は「金正日が画期的約束をする」寸前までいっていたと主張してきた。残るは違反の検証方法について、双方の立場の違いを埋める作業だけだったという。

しかし、疑惑施設の査察を含む検証システムの整備は、信用度ゼロの北との取り決めにおいては決定的要素となる。そこが未解決とは、何も決まっていなかったに等しい。

ソ連との核合意に関して、レーガンの「信用する、しかし検証はする」（trust but verify）という有名な言葉がある。信用できない相手と、「信用する、しない」の議論をしても意味はない。シラミつぶし的検証に相手が応じるならサインする、応じないなら席を立つ、二つに一つという意味である。

なおシャーマンは、オバマ政権の国務次官時代に、慰安婦に関して韓国を怒らせる発言、すなわち正しい発言をしたことがある（二〇一五年二月二十七日）。

どこであれ政治指導者が、かつての敵をけなして安っぽい喝采を得るのは簡単だが、そうした挑発は麻痺《まひ》を生むだけで進歩は生まない。

このシャーマン発言を、「告げ口外交」を繰り返す朴槿恵《パククネ》大統領（当時）への批判と捉えた韓国のメディアや政界は強く反発した。

シャーマンの場合、特に歴史問題に識見があったわけではなく、日米韓の足並みを乱し、対北核交渉の足元を掘り崩す行為は、何であれ許せないということだったろう。

従って、韓国が持ち出す慰安婦という「夾雑物《きょうざつ》」に不快を感ずると同時に、日本が重視する拉致についても、決して同情的ではなかった。もっとも、慰安婦問題で韓国に厳しい態度を貫いてくれるなら、とりあえず結構な話である。

シャーマンは二〇二一年七月二十日に国務副長官として初来日し、拉致被害者家族会の代表三人と面談した（米側から話があった）。横田拓也事務局長、飯塚耕一郎事務局次長はいずれも、北の陰謀体質に警戒すべきこと、安易な制裁解除には反対であること、「全被害者の即時一括帰国」を目指していることを明確に伝えている。横田早紀江は母親の立場から、事の深刻さを語り、不正を許してはならないと強調した。

シャーマンは「感動した」と直後にツイートしたが、どこまで行動に反映されるか注目したい。

シャーマンと並んでやや注意を要するのが、オバマ政権で国連大使、次いで安保補佐官を務めたスーザン・ライスである。バイデン政権では、国内政策のアドバイザー的役職を振られたが、本人の意識では専門は外交安保である。口を挟んでこない保証はない。

彼女は、安保補佐官時代に、北の核ミサイル保有は絶対に認めないと繰り返しながら、退任後は一転、北を核保有国と認めた上で平和共存の道を探る他ないと主張した、歩く無定見と言うべき人物である。しかも、他人の意見を聞く心的余裕を欠くことで定評がある。ライスは、その論説コラムで言う（New York Times, Aug. 10, 2017）。

歴史は、もしやむを得なければ、われわれは北朝鮮の核兵器を許容しうることを示している。冷戦期に、何千というソ連の核兵器からなるはるかに大きな脅威を許容したのと同様に、である。

こうした人物が、外交通を自認しつつ、バイデンの近くにいる事実を忘れてはならない。なお、バイデンが大統領安保補佐官に起用したサリバン（一九七六年生）は、ブリンケンと経歴の似た実務家タイプである。議員や首長など選挙を経る職に就いたことはない。特に独自の見識を窺わせる論文や講演録も見当たらない。

イエール大学法科大学院修了後、弁護士事務所に勤務したのち、エイミー・クロバシャー上院議員（サリバンが少年期を送ったミネソタ州の選出。二〇二〇年の民主党大統領予備選で比較的善戦した）の首席法律顧問、ヒラリー国務長官の副補佐官、バイデン副大統領の安保補佐官などを歴任した。

ボルトンのように、周りと軋轢《あつれき》を起こしても信念を貫くタイプではなく、調整型かつ党益優先型の補佐官だと言える。安保補佐官は実はこうしたタイプが多い。ボルトンはあくまで例外だった。

非核化の理想リビア・モデル

交渉を成功させた三つの要因

「完全かつ検証可能で不可逆的な非核化」の理想形とされるのが、二〇〇三年のリビア・モデルである。

幸い私は、二〇一八年、米側交渉代表としてリビアとの協議に当たったロバート・ジョゼフ国家安全保障会議（ＮＳＣ）拡散戦略担当上級部長（当時）のもとを訪れ、直接詳細を聴く機会を得た。

ちなみにボルトンとジョゼフはブッシュ政権時、内外の宥和勢力と共に闘った同志である。ボルトンは当時、大量破壊兵器問題担当の国務次官だった。ボルトンからも、リビア・モデルについて話を聞いたことがある。その後ボルトンは国連大使に転じ、後任の国務次官にジョゼフが就いた。

この二人をいずれも首席補佐官として支えたのが、私の知友フレッド・フライツ安全保障政策センター所長である。ＣＩＡの分析官として四半世紀の経験を有し、トランプ政権では、ボルトン安保補佐官のもとでＮＳＣ事務局長を務めた。

各種の資料に、これら米側当事者から得た情報も交え、リビア・モデルの実態に迫ってみよう。

ジョゼフは、私との面談の中で、北朝鮮問題を念頭に、自身の交渉を振り返りつつ、特に次の点を強調した。

一歩ごとの取引という発想は論外だ。交渉を複雑化させ、スピードを阻害するだけでなく、非核化のゴールそのものが遠くにかすんでしまう。早く見返りが欲しければ早く非核化を完了せよ。数年ではなく数カ月以内。イエスかノーか。そう迫らねばならない。

見返りについては、「非核化し、テロを放棄すれば、当然、国際社会に家族の一員として受け入れられる」といった一般的保証以上の話はしなかった。

にもかかわらず、「中東の狂犬」と言われたリビアの独裁者カダフィが、なぜアメリカの要求を受け入れたのか。ジョゼフは特に次の要因が重要だという。

①経済制裁が徐々に効果を上げていた。

②核関連の闇取引を米英独伊の連携によって洋上で阻止し、情報力と機動的対応力を見せつけた。そのことで、核開発継続は物理的に困難と観念させた。
③独裁者を狙ったピンポイント攻撃を示唆し続け、恐怖心を煽《あお》った。

リビア・モデルの特徴

次いで、非核化リビア・モデルの特徴を簡単にまとめておこう。
①米英の最高指導者に直結する対外情報機関（米ＣＩＡと英ＭＩ６）幹部が、交渉および廃棄・検証の初期段階を担った。
すなわち、交渉継続が自己目的化しやすく、また「雰囲気作り」のための譲歩に傾きがちな国務省や、動きが鈍い国際原子力機関（ＩＡＥＡ）は関与させなかった。

もっとも二〇〇三年暮れに米・英・リビア間で最終合意が成立し、翌年、廃棄や査察のプロセスが定型的な軌道に乗ってからは、国務省やＩＡＥＡにも関与を求めている。

しかし独裁者カダフィに「戦略的決断」を迫る過程においては、何よりも秘密保持と柔軟性が重要であった。

情報機関は情報を取るのが仕事であり、そのためなら、極端な話、相手に何を言っても構わない。国務省や国防総省の高官の場合、政府方針を外れた発言はできず、折々議会で証言も求められるため、その種の「柔軟性」の発揮は難しい。

②核合意成立の一カ月後には、廃棄対象物資の海外搬出が始まり、三カ月後にはほぼ完了している。合意から作業開始、完了までのスピードが非常に速い。

③全てのウラン濃縮用機材や原料を廃棄対象とした。「平和利用」すなわち原発の燃料製造用は除外するといった措置は取らなかった。先に見たイラン核合意との大きな違いである。

④核のみならず化学兵器、射程三〇〇キロ以上の中距離ミサイルも廃棄対象とした（生物兵器はリビア国内になかった）。

⑤疑惑施設への査察要求にリビアが即時全面的に応じた。米英情報機関が把握していなかった施設に自主的に案内したケースさえあった。

「完全かつ不可逆的な」廃棄か否かは物理的には証明困難で、査察をめぐる対応から判断するしかない。その点、リビアは「合格」であった。

⑥「テロの清算」も同時に行われた。

具体的には一九八八年十二月二十一日のロッカビー事件の責任をリビア政府が公式に認め、犠牲者遺族に対する二七億ドルの補償金支払いを約束した（スコットランドのロッカビー村上空で発生したパンナム機爆破事件。乗客、乗員、地上の住民併せて二七〇人が死亡。うち米国人一九〇人、英国人四三人、日本人一人）。

また、中東テロ組織に対する支援の打ち切りも約束した。

⑦リビアへの「見返り」は、核・ミサイルの廃棄完了後に提供された。すなわち金融制裁と航空機往来禁止の解除が二〇〇四年九月、テロ支援国指定の解除が二〇〇六年六月などである。

韓国政府高官などがよく、「リビアの場合も段階ごとに米国の補償があった」と北朝鮮を援護する発言をするが、事実に反する。

「リビアの核関連機材放棄に対し、米側が財政的、テクノロジー的補償を行うことになっている」という二〇〇四年一月のリビア政府高官発言も、ジョゼフによれば、「秘密協議の中身について知識を持たない人々がしばしば引用するが、全くの間違い」だという。

⑧イラクの独裁者サダム・フセインの悲惨な末路を示しつつ、最後までカダフィに斬首《ざんしゅ》作戦の恐怖を与え続けた。

実はジョゼフは、リビア情報機関が爆破した上記パンナム機に搭乗予定だったという。たまたま会議の日程が直前に変更され、奇跡的に難を逃れた。しかし家族や知人には、ジョゼフは死んだと早合点して激しく動揺した人もいたらしい。

そのためジョゼフは、リビア情報部員を前に、カダフィへの斬首作戦を示唆することに、何の良心の呵責《かしゃく》も感じなかったという。

国際機関では独裁国家の秘密核開発は暴けない

以下、リビア・モデル達成までの過程を振り返ってみよう。

二〇〇三年三月二十日、サダム・フセイン政権打倒を目的とした米軍主導のイラク戦争が開始された。

ちょうどその日、英MI6の幹部がロンドンからワシントンに飛び、ジョージ・テネットCIA長官と面会、リビアが核問題に関して「疑念を晴らす」意向を持つ旨を伝えた。ロッカビー事件の処理を協議してきた英・リビア情報部間のチャンネルを通じ、リビア側から、米CIAも関与させて欲しいと求めてきたという。リビアの代表は、最高権力者カダフィの次男サイーフと対外情報部長ムサ・クサであった。トップの意向を受けたものと判断できた。

三月二十六日、米英首脳および対外情報機関の長がキャンプ・デヴィド山荘に集まり、リビアとの協議を開始する方針を決めた。その際、ブッシュ大統領とブレア首相は、イラクとIAEAの間で長年繰り広げられた査察をめぐる「いたちごっこ」(cat-and-mouse game) のようなものを繰り返してはならない、どう転ぶにせよ速戦即決で行く旨を確認した。

実はこの時期、ＩＡＥＡが、リビアの自己申告施設のみを査察した上で、核兵器開発の証拠はないとする報告書を出していた。

ジョゼフは次のように慨嘆する。

ＣＩＡやＭＩ６のような諜報能力を持たず、軍事力の後ろ盾もない国際機関では独裁国家の秘密核開発を暴くことはできない。しかもより大きな問題は、そうした限界を認めたがらず、権威主義的に自己保身に走るＩＡＥＡの官僚体質だ――。

実際、リビア自らが秘密核開発を認め、核兵器の設計書と大量の未申告機材を開示した後の二〇〇四年一月になっても、なおＩＡＥＡのモハメド・エルバラダイ事務局長は、リビアの核計画は「低レベルかつ小規模の濃縮実験段階にあり、特別のものではない」との「技術的見解」を示すなど、「核兵器開発の証拠はない」とした自らの判断に瑕疵《かし》はなかったとの立場に固執した。

秘密裏に大量破壊兵器開発を続ける独裁国家に開示と廃棄を迫る「闘い」の局面では、ＩＡＥＡのような国際機関は役に立たない、どころか足を引っ張る存在になるというのがジョゼフの総括である。

ボルトンは、イランとの関係でも、回顧録でエルバラダイの対応を厳しく批判している。国務次官として二〇〇三年に面談した際、「イランの活動について、知っていることは知っている、知らないことは知らないと峻別《しゅんべつ》して発言するよう求めたが、エルバラダイは聞く耳を持たなかった」という。

さらに、「彼は常にイランの側に立ち、言い訳を探した。指導部内にいるはずのない穏健派、すなわち核兵器開発に反対するグループを虚空に追い求めた。ＩＡＥＡの査察官たちが得てきた事実をそのまま報告するのではなく、イランとの取引を常に考えて発言していた」とプロ意識の欠如を批判している。

制裁権限を持つ国連安保理に早く問題を付託するよう再三促したが、エルバラダイは「なお調査が必要」としぶり続けた。安保理に預けた段階で、「メディアのスポットライトが自分に当たらなくなるからだ。典型的に近視眼的な行為だった」とボルトンは言う。

しかしそのエルバラダイは、二〇〇五年、ＩＡＥＡとともにノーベル平和賞を受賞している。二〇〇九年に退任するまで、約十二年間、事務局長の地位を譲らなかった。

斬首作戦の可能性がカダフィに与えたプレッシャー

さて、交渉を首脳直轄で内密迅速に進めるため、ブッシュは、ＣＩＡの秘密作戦部門トップのスティーブ・カップスを非公式特使に起用した。

交渉当初、リビアのムサ・クサ対外情報部長は、互いを信頼し、大量破壊兵器の処分はすべてリビア自身に任せるよう求めた。対してカップスは、先のレーガンの言葉、「信頼する、しかし検証はする」を引き、廃棄を自らの目と手で確証できない限り、アメリカは何の見返りも与えないと応じた。

四月二十九日、リビア外相が記者会見し、「自国公務員の行為に関する民事上の責任を認め」、ロッカビー事件の犠牲者に一人あたり一〇〇〇万ドル、総額二七億ドルの補償金を支払う方針を明らかにした。核やミサイルの放棄より対応しやすい「テロの清算」でまず動き、あわよくば制裁解除につなげたいとの思惑だったろう。

これは示唆的である。北朝鮮との関係でも、核やミサイルで相手を強く追い詰めれば追い詰めるほど、日米分断の狙いも込めて、北はより対処しやすい拉致問題（被害者を返せば済む）で動きを見せるだろう。逆に核ミサイル問題で安易な妥協をし、制裁を解除してしまえば、拉致の解決は遠のかざるを得ない。

九月初め、カダフィが、首都トリポリに米英情報部の代表を招き、接見した。ひとしきり査察要求の理不尽を激越に難じた後、効果なしと見るや、技術専門家による「訪問」なら受け入れてもよいと譲歩し、側近のムサ・クサに具体的手順を詰めるよう指示した。

十月三日、ドイツ船籍の「BBCチャイナ」が核関連物資を運搬中との情報を得た米英独伊四カ国が連携し、旗国ドイツの承認のもと、イタリアのタラント港に回航させ、臨検した。船内から数千本のウラン濃縮用遠心分離器が発見された。積荷目録にはなく、密輸であった。

パキスタンのA・Q・カーン博士率いる核拡散ネットワークがマレーシアの工場から積み込んだもので、グループの拠点ドバイ（アラブ首長国連邦）に寄港後、スエズ運河を経て地中海をリビアに向かう途中であった。

リビア側は、米英との協議開始前の発注分であって信義則違反ではないと強弁したが、いずれにせよ秘密核開発の動かぬ証拠である。

この押収は、核関連の密輸はもはや困難とリビアに思わせた点で、交渉を動かす大きな要因となった。

十月二十一日、カダフィが再びCIAのカップスをトリポリに呼び、大量破壊兵器を放棄した場合の制裁解除に関し「本当にブッシュを信用できるのか」と問い質した。カップスは、

「大統領に二言はない。ただし裏切られたと感じると、大統領は非常に怖い人間になる」と応じたという。そして、カダフィが偉大なリーダーにふさわしい「戦略的決断」に踏み切るよう改めて促した。

リビアの人権問題は協議対象にならなかった。ジョゼフは、「もちろん問題だが、北朝鮮に比べれば、リビアなど少年合唱団のようなものだった」と言う。

十二月十三日、イラク北部ティクリート近郊で、農家の庭に穴を掘って潜んでいたサダム・フセインが米軍に発見され、拘束された。無造作に髭が伸び、米軍医による口内検査のため大きく口を開けた衝撃的映像が世界に流れた。

その三日後（十六日）、ロンドンでの協議で、リビアは全ての大量破壊兵器および関連物資の廃棄に同意した。サダムの惨めな姿がカダフィを大いに動揺させた、というのが米側の理解であった。実際カダフィはのちに、複数の外国人訪問者に対し、サダムのようにはなりたくなかったと語っている。

「当時カダフィはパラノイア的に米軍の攻撃を恐れていた」とジョゼフは言う。実際、レーガン時代の一九八六年四月十五日、数々のテロへの報復として、米軍は一度、カダフィに空爆による斬首作戦を発動している。

そのときは九死に一生を得たが、サダムの拘束で改めて米側の情報力を痛感したのだろう。

以後ジョゼフは、斬首作戦の可能性をますます強く仄《ほの》めかし、カダフィにプレッシャーを掛け続けたという。

カダフィは、平和を愛する中東のリーダーとして、進んで大量破壊兵器を放棄したという形を取ることにこだわった。米英側もカダフィの「顔を立てる」必要は十分認識していた。もし最終合意の前に、英米が圧力を掛けていた事実が漏れれば、カダフィが全てを御破算にする可能性があった。そのため情報管理に万全を期したとジョゼフは言う。

当時NSCの日本・朝鮮部長だったマイケル・グリーンは、北朝鮮問題でジョゼフと一緒に仕事をしながら、リビアとの交渉については全く気付かなかったと証言している。

最終協議の席上、リビア側は、まず制裁解除の段取りを詰めようと話を蒸し返した。米英側は、早く見返りが欲しいなら、早く全面廃棄を実行すればよい、制裁解除や投資拡大は自然に付いてくると撥《は》ね付けた。

協議開始から六時間が経過したあたりで、ようやくリビア側が、大量破壊兵器の廃棄をまず全面的に実行することに同意した。

十二月十九日、大量破壊兵器の廃棄をリビア外相が正式に表明する。カダフィも、「大量破壊兵器とテロがない世界を築くため、リビアがイニシャティブを取った」との談話を出した。

事前の合意に基づき、まずブレア英首相がカダフィの「歴史的決断」を称える声明を出し、続いてブッシュが「リビアは、そのリーダーによる今日の声明により、国際社会に再び加わるプロセスを始めた」と段階的な制裁解除を示唆する発言を行った。

リビア・モデルは包括的であると同時に、非常にスピーディでもあった。

合意発表から約一カ月後の二〇〇四年一月には、米空軍の大型長距離輸送機C-17がリビア入りし、最重要の核物質およびミサイル部品を積み込んだ。二トンの六フッ化ウラン（これを気体化したものがウラン濃縮に用いられる）、スカッドCミサイル（射程七〇〇キロ）の誘導システム、遠心分離器の中心部品などである。

これらは最終的に、米テネシー州にあるオークリッジ国立研究所に搬送された。かつて原爆開発（マンハッタン計画）の一部としてプルトニウム分離実験が行われた施設である。現在は総合的な科学研究センターとなっている。

三月、今度は大型船舶を用いて、ウラン濃縮用の諸機械、遠心分離器やスカッドCの本体、ミサイル起立・発射車両などが国外搬出された。

米関係者によると、この間、疑惑施設への査察要求をリビアはすべて受け入れたという。三〇〇〇発以上あった化学兵器用弾頭や毒物は、リビア国内の人里離れた場所まで運び、米英当局者立ち会いのもと、慎重に時間を掛けて処分された。空の弾頭は速やかに処分された。

なお、マスタードガス弾の一部が隠匿されていた事実が、カダフィの死後、新政権によって明らかにされた。理想型とされるリビア・モデルでも、やはり「漏れ」はあった。しかし相手が無法な独裁者という点を考えれば、違反がその程度で済んだのはむしろ驚きと言える。

リビア・モデルを北朝鮮に適用せよ

核放棄により経済制裁を解除されたリビアは、原油の輸出を拡大させ、経済が大いに活況を呈した。カダフィは財政の安定を得て、二〇一一年の「アラブの春」で反政府勢力に殺害されるまで、さらに七年以上、独裁的地位を保った。

二〇〇三年に核を放棄していなければ、経済のさらなる悪化で、より早く民衆蜂起《ほうき》を招いたであろう。リビア・モデルはカダフィにとっても、明らかにプラスだった。

リビア・モデルの北朝鮮への適用は、とりわけ日本にとって意味が大きい。第一に、合意の中に「テロの清算」を含むため、拉致問題の解決を不可欠の要素とできる。

第二に、核だけでなくミサイル、しかも長距離のみならず中距離のミサイルも廃棄対象とするため、日本を射程に収める中距離ミサイル・ノドンの脅威を取り除くことができる。

しかし、北朝鮮の核ミサイル開発は、かつてのリビアよりはるかに進んでおり、また産油国リビアと違って、北には決定的な輸出産品がない。だからリビア・モデルの適用は無理、より大きな見返りを用意せねばならない、が進歩派の決まり文句である（次に見るヘッカー案はその「専門家」バージョン）。

こうした敗北主義が、先回りした、不必要な譲歩を生んできた。北朝鮮には、石油はなくとも、様々な鉱物資源や潜在的に優秀な労働力がある。

金正恩《キムジョンウン》が本書を読めば、リビア・モデルが独裁者カダフィにとって、マイナスどころかプラスだった事実に気付くだろう。

日米は、あくまで北に対するリビア・モデルの完全適用を目指していかねばならない。

非核化「ヘッカー案」の虚妄

北の「核強国」に協力した学者

「北朝鮮が非核化に向けた具体的な行動を取るまで制裁を維持する」という点で日米当局者の意見はおおむね一致している。

問題は「具体的な行動」の定義である。ハードライナーにおいては、少なくとも全ての核爆弾の海外搬出といったレベルでなければ「具体的な行動」とは言えない。一方、宥和派においては、一部核施設の凍結程度でも見返りを与えるべき「具体的な行動」となる。

宥和派が論拠によく持ち出すのが、完全な非核化には十年以上を要するという「専門家」の意見である。従って、その間一切見返りなしとするのは非現実的で、段階的に制裁を緩和せざるを得ない、というわけである。

宥和派が権威と仰ぐ専門家の代表がスタンフォード大学のジークフリード・ヘッカー教授で、彼の「非核化ロードマップ」（二〇一八年五月発表）はメディアでも大きく取り上げられてきた。

ちなみに、ヘッカーは北の招きで過去に四回「視察」訪朝しており、核開発の順調な進展ぶりを裏書きする発言を繰り返してきた。いわば北の「核強国」アピールに（意識的にせよ無意識的にせよ）協力してきた学者である。

ヘッカーの「非核化」は次の段階を踏む。まず核施設の稼働停止に一年、核施設・核兵器の無力化に五年、廃炉と除染に十年。同時進行可能な部分もあるため早ければ全体で十年、自身の見立てでは十五年はかかるという。

一見して明らかだが、ここでイメージされているのは、原発の廃炉プロセスである。しかし、核兵器の脅威除去という意味の非核化は全く構造が異なる。従ってプロセスも異なる。

先述の通り、リビア・モデルにおいては、独裁者の核放棄声明からわずか一カ月後には米軍の大型輸送機が、本体から取り外された核とミサイルの中核部品をまとめて海外搬出している。

この時点で、核施設とミサイルの無力化は事実上完了している。残りは兵器の機能を失った金属の塊であり、解体や搬出に多少時間が掛かっても構わない。

無論、北朝鮮の場合、核関連物資、ミサイルとも、リビアよりはるかに量が多い。しかし北が誠実に協力するならば、核爆弾やミサイル中核部品の海外搬出は数カ月で終わるだろう。

ちなみに、ソ連の西ベルリン封鎖に対抗してアメリカが行ったベルリン大空輸（一九四八年）では、二十四時間、三分間隔で輸送機が離発着した。そのペースなら数日で終わる。「最低でも十年掛かる」は根拠なきフィクションに過ぎない。

一二〇パーセント北の立場に立った「ロードマップ」

ヘッカーは、核弾頭の安全な解体は、実際に製造に当たった技術者にしかできない（従って全ての解体には相当な時間がかかる）とも指摘する。

核大国のアメリカに、他国が製造した爆弾に対応するノウハウがないとは思えないが、仮に北の技術者の協力が必要だとしても、核弾頭をそれら技術者ともどもまずアメリカに移動させ、それから解体すれば、「朝鮮半島の非核化」自体は速やかに完了する。しかし、ヘッカーの場合なぜか、北の国内において北の技術者が一つひとつ時間を掛けて解体する方式しか目に入らないようだ。

ヘッカーはリビア・モデルを「降伏シナリオ」と呼び、金正恩が受け入れることはあり得ないと一蹴する。

さらに、独裁者が自身の安全を確信できるまで核を放棄しないのは当然だとし、「共存と相互依存」の関係をまず作らねばならないと主張する。

すなわち対北制裁を解除し、貿易や投資を拡大することが、非核化プロセスの前提というわけである。一二〇パーセント北の立場に立った「ロードマップ」と言えよう。

正しい道は、ヘッカー案を真逆に進むことである。

非核化の成否は、脅威の根幹を成す部分から順に除去できるかどうかに掛かる。すなわち、完成済みの核爆弾の海外搬出（中核的措置）が最初に来なければならない。

ところが北は逆に、核実験場やミサイル・エンジン燃焼試験場の閉鎖といった、いつでも再開・再建できる周辺的措置によって見返りを得つつ、核爆弾やミサイルはあくまで温存しようと狙っている。

もしバイデン政権が、中核的措置からではなく周辺的措置から始める「北朝鮮・ヘッカー方式」を受け入れるなら、間違いなく制裁緩和の「タダ取られ」で終わる。

実際、専門家の中には、「不必要にプロセスを引き延ばすべきではない」とヘッカー案を厳しく批判する人もいる。元ＩＡＥＡ査察官で、ワシントンのシンクタンク、科学国際安全保障研究所（ＩＳＩＳ）の所長を務めるデヴィド・オルブライトがその一人である。

オルブライトは、「二、三年以内に全ての申告された核兵器とプルトニウム、濃縮ウランを除去でき、全ての中心的施設を無力化できる」と主張し、独自の工程表を研究所ホームページに掲げている。「専門家」の意見を尊重するというなら、こちらも取り上げねばバランスを欠くだろう。

北の協力が得られるか否かは「ビッグ・イフ」だが、非核化ロードマップはあくまで相手の協力を前提に作成せねばならないとオルブライトはいう。

相手に協力の意思がない場合、いくら時間を掛けても非核化は達成できない。そうなれば外交解決以外の手段が必要となり、事は核管理専門家の手を離れる。プロらしく、冷静に自らの守備範囲と限界をわきまえた提言と言えるだろう。

ライス・ヒル外交

歴史的失敗の外交に乗せられた福田政権

ブッシュ長男政権は、金融制裁で北を追い詰めながら、二〇〇七年以降、「圧力は対話を阻害する」と考えるコンドリーサ・ライス国務長官、クリストファー・ヒル次官補のコンビのもと、無原則に制裁を緩和し、北の体制を生き延びさせるとともに核ミサイル開発を加速させる歴史的な失敗を犯した。

政権内で唯一、圧力維持を主張し続けたチェイニー副大統領は、ライス・ヒル・コンビの背信的外交を難ずるとともに、「拉致で進展がない中、日本が納得しない。日米関係が壊れる」を抵抗の最後の拠り所とした。

ライスは回顧録で、「副大統領は取りつく島がなかった」と振り返り、同時に、「私は日本人とはケミストリーが合わないと感じていた。日本側は拉致で米国に協力させるテコを失わないため、六者協議の失敗を望んでいるのではないかとさえ思われた。私は核と拉致をリンクさせないよう闘った」と逆恨み的感想まで記している。

言うまでもなく六者協議は、ライス・ヒルの場当たり的な譲歩によって、北が制裁の憂いなく核開発を続けられる枠組と化し、その結果失敗したのである。

当時、平沼赳夫《ひらぬまたけお》拉致議連会長を団長とする訪米団に私も加わり、米側各方面に、安易に制裁を緩和しないよう意見を伝えて回った。ライス・ヒル外交を外部から強く批判していたボルトン、アーミテージ元国務副長官らは訪米団にこう強調した。

拉致は核のメルクマール（評価指標）だ。単に被害者を返せばよいだけの拉致は、核よりはるかに解決がたやすい。その拉致で嘘をつく北が、核で誠実に対応するはずがない。拉致に関する最新状況をぜひ、発信し続けて欲しい。

ところが当時の福田康夫《ふくだやすお》政権には理念も戦略眼もなかった。二〇〇八年六月十三日、北朝鮮による実態不明の拉致「調査委員会」の設置と引き換えに制裁を緩和したと突如発表する。「拉致問題で進展あり」のニュース（実態としてはフェイク・ニュースだったが）は当然、ライス・ヒルには追い風、チェイニーには逆風となった。

北の「調査」には期限を設けない一方、「すべての北朝鮮船舶に人道目的での入港を認める」

などの日本側措置は即日実施したという。担当者に問いただしたが、「人道目的」の定義はあいまいだった。日本国内で当然批判の声が上がり、政府は入港解禁措置の撤回を申し入れるなど、北との再交渉を余儀なくされた。意外にも、北はそれをすんなり受け入れる。

北の視線は、日本の肩越しに米国に向いていた。拉致で進展があったとアメリカに印象づけられれば、日朝合意の中身などどうでもよかったのである。日本がさらに強く出ていればさらに譲歩しただろう。

米政府内のタカ派を沈黙させるため、日本を騙して露払い役を演じさせるという北の策略に、福田政権は易々と乗せられた。

北の思惑通り、ブッシュ政権は、日朝合意から約二週間後、「テロ指定解除に向けた手続きの開始」を発表した。日本の安易な妥協でチェイニーらは梯子《はしご》を外され、以後、米政権の宥和政策に歯止めが掛からなくなった。

チェイニーは後年、ライスへの直接批判を避けつつ、「ヒルは大統領に嘘をつき通す構えだった。コンディ（ライスの愛称）は、この極度に警戒を要するプロジェクトをどんな人物に委ねてよいかの判断を完全に誤った」と述懐している（James Rosen, *Cheney One on One*, 2015）。

当時「戦略的法執行」特別調整官だったデヴィッド・アッシャー（第3章参照）からは、より厳しいライス批判の言葉を聞いた。

パウエルとアーミテージ（ブッシュ政権第一期の国務長官および副長官）は北の違法行為取り締まりに積極的だった。ところがその後、コンディが国務長官になり、北の対シリア核支援やウラン濃縮など明らかな事実まで見て見ぬふりをしようとしたのは、歴史に例を見ない愚行で、いまだに信じられない。

なお、福田首相が外交の指南役と仰いだ五百旗頭《いおきべ》真《まこと》元防衛大校長は、「拉致なんて持ち出すのは日本外交として恥ずかしいよ。あんな小さな問題をね。こちらは何十万人も強制連行しているのに」を持論とする。この通りの表現で、私は直接聞いた。

米国要人に氏が、同様の認識を一度も示さなかったとは考えにくい。「首相ブレーン・ナンバーワン」の言葉はそれなりの重みを持って響いただろう。

五百旗頭は、核も拉致も棚上げした小泉第一次訪朝（二〇〇二年）を仕切った田中均《たなかひとし》外務省アジア大洋州局長を、「稀有《けう》の外交官」「これほど能動的・創造的な外交を構想し行動する外政家が、われわれの同時代にいる」「戦後日本外交の限界に挑んだ」などと激賞してもいる（毎日新聞二〇〇九年二月二十二日）。

ちなみに安倍晋三首相は、第二次政権時、自身の「価値観外交」を批判した田中に対し、次のように応じている（安倍晋三フェイスブック、二〇一三年六月十二日）。

> 11年前の官房副長官室での出来事を思い出しました。彼は拉致被害者の皆さんの「日本に残って子供たちを待つ」との考えを覆してでも北朝鮮の要求通り北に送り返すべきだと強く主張しました。私は職を賭してでも「日本に残すべきだ」と判断し、小泉総理の了解をとり5人の被害者は日本に留まりました。……その後 田中均局長を通し伝えられた北朝鮮の主張の多くがデタラメであった事が拉致被害者の証言等を通じ明らかになりました。あの時田中均局長の判断が通っていたら5人の被害者や子供たちはいまだに北朝鮮に閉じ込められていた事でしょう。外交官として決定的判断ミス、それ以前の問題かもしれません。そもそも彼は交渉記録を一部残していません。彼に外交を語る資格はありません。

安倍と、その退陣後に跡を継いだ福田周辺の感覚がいかに違うか、明らかだろう。

ところで、福田が北に手玉に取られるのと前後して、野党民主党の岡田克也《おかだかつや》、前原誠司《まえはらせいじ》両議員が訪米し、「日本が拉致にこだわり核解決の障害になっている」と語ったと米側関係者から聞いた。

両氏に質したところ、岡田からは、「日米の国益が一致しないこともある。米国が北のテロ支援国指定を解除することで日米同盟にひびが入るとは考えない、とは語った」との回答が得られた。前原からは回答がなかった。

当時、民主党は政権獲得前夜と見られており、最高幹部である両議員の言動には米側も注目していた。「ライス・ヒル路線は日米両国の国益を損なう。追従する日本政府も同罪だ」が責任ある野党政治家の言葉だったはずだ。岡田、前原両氏はいったい何のために訪米したのか。拉致は「即時一括帰国」、核は「即時一括廃棄」、それまで「最大圧力」を維持する、が大原則でなければならない。しかし第二のライス、ヒル、第二の福田、岡田が現れない保証はない。と言うより、日米ともそうした政治家、高級官僚の方が常に多数である。

ヒルの驚くべき北朝鮮観

以下、ライスとヒルの回顧録から、象徴的な部分を抜き出しておこう。

二〇〇七年一月中旬、ベルリン滞在中のライスの部屋に同地で米朝協議に当たっていたヒルが「明らかに興奮した」面持ちで飛び込んできた。

北朝鮮側代表が、金融制裁解除と引き替えに核凍結という「本国の訓令以上に踏み込んだ」案を示してきた、相手は翌日帰国する、今すぐ応答したいというのである。ライスはホワイトハウスに急遽《きゅうきょ》国際電話を入れ、「大統領、この問題を大きく動かすチャンスです。しかし、明日になればこのチャンスは消えてしまいます」と強く受け入れを促したという。

もし実際、独裁者の指示を越えた譲歩案を提示したとすれば、その人物は帰国後直ちに収容所送りか処刑だろう。北の見え透いた揺さぶりに米高官が易々と乗せられる様に驚きを禁じ得ない（Condoleezza Rice, *No Higher Honor*, 2011）。

しかもライスは、回顧録執筆時点でもまだ、自身が騙されたことに気付いていない。米政府がなぜ北を相手に同じ失敗を繰り返すのか、ライス証言は貴重な示唆を与えてくれる。

このエピソードの翌月、アメリカは実効の上がっていた対北金融制裁を解除した。

ではヒルは、あの歴史的な失敗をどう総括しているのか。その回顧録で彼は、米政府が二〇〇五年九月に発動した対北金融制裁を、強硬派が効果を「全く誇大宣伝」したものの、実際は「交渉を十八カ月間止めたのみ」でマイナスしかなく、「六者協議の同僚たちとりわけ中国、韓国、ロシアを激怒させた」と批判する（日本が入っていないのは名誉だ）。

そして、米国内法に基づいて他国の銀行を罰するのは、かつての治外法権と同じだという中国側クレームに留意すべきだと説く（金融制裁のターゲットとなったのは中国マカオの銀行、バンコ・デルタ・アジア）。一方、ヒルの記述に、自国の銀行による北の違法資金洗浄を黙認してきた中国政府を咎《とが》める言葉は見当たらない。

結局、査察システムに関して「北が真剣でない」ことが分かったため交渉は決裂したという。ヒルは、しかし、決して失敗ではなかったと強弁する。思い切った譲歩を見せたことで、平和プロセスを阻害しているのはアメリカという韓国内の非難を払拭《ふっしょく》でき、中国とも協調関係を築けたからだという。

「悪いのは誰の目にも北朝鮮だった。過去とは違い、アメリカを非難する者はいなかった」とヒルは胸を張る。確かに親北左派においてはそうだろう。しかし保守派はライス・ヒル外交に驚き、呆《あき》れ、強く非難した。それに、制裁緩和によって改めて実証してもらわなくとも、「悪いのは北」であるのは常識だった。

ヒルの回顧録にはさらに驚くべき記述がある。

ある日、移動の機中で、アメリカ人のフライト・アテンダントが寄って来て「質問がある」と言う。ビーフかチキンの選択かと急いでメニューを開くと、「いいえ、いいえ。知りたいのは、なぜわれわれは核兵器を持てるのに、北朝鮮は駄目なのかということです」。

ヒルは何のコメントも付けず、そこで章を閉じている。

ここに窺えるのは、核保有はそもそも北朝鮮の権利であり、止めるには相当の見返りを与える以外なく、それでも北があくまで持とうとするなら仕方がないという発想である。国際アウトローにとって、これほど好都合な交渉相手はないだろう（Christopher Hill, *Outpost*, 2014)。

日本の戦略

一貫して自ら行動するイスラエルに学べ

武漢ウイルス流入阻止のため、金正恩は中朝の往来を断ち、かつてないレベルの経済制裁を自ら科す形になった。二〇二一年六月には、独裁者自ら食糧危機に言及するに至っている。

交渉の「呼び水」という発想も含め、北朝鮮への食糧支援は常に間違いである。アフリカの最貧国や難民キャンプと違い、北は、核ミサイル開発につぎ込んでいる資金を当てれば、国際市場からいくらでも食糧を買える（食糧は国際制裁の対象になっていない）。

北朝鮮、イラン、シリアの三カ国は長年にわたり、核開発で協力関係にあった。しかし、北が核兵器を手にした一方、イラン、シリアはまだ持たない。この違いはどこから生じたのか。

二〇〇七年春、イスラエル情報部（モサド）の長官が訪米、シリアで建設が進む秘密原子炉の写真を米政府高官に示した。その内部構造は、北朝鮮寧辺《ニョンビョン》の核施設に酷似していた。国際原子力機関に報告はなく、明白に核兵器不拡散条約に違反する行為であった。

イスラエルは、自国が率先して動くとアラブ世界が「反発」せざるを得なくなると、米側に空爆を要請した。チェイニー副大統領は同意したが、ライス国務長官、ゲイツ国防長官らは「まず外交努力で」と慎重姿勢を取る。結局ブッシュ大統領が、「時期尚早」と要請を断り、後の判断をイスラエルに委ねた。

同年九月六日深更、イスラエルの戦闘機群がシリア領空に進入、五〇〇ポンドの地下貫通弾を連続投下し核施設を破壊した。その数時間前には、シリア軍の制服に身を包んだイスラエル軍特殊部隊が地上から潜入し、レーザー誘導装置で標的の情報を上空に伝えるとともに、シリアの防空システムを攪乱《かくらん》する電子戦に当たっていた。

空爆で建物を破壊されたシリア側は沈黙を守るのみならず、急いで現場を片付け更地にした。秘密核施設だったことを認めたに等しかった。

安全保障上の重大事態に対し、アメリカに支援協力を求めるものの、得られない場合、自らの行動によって脅威を除去するという姿勢がイスラエルには一貫してある。攻撃についてはアメリカに全面依存という日本との違いである。ともあれ、シリアの核計画は、イスラエルの爆撃により大きく後退した。

二〇一六年二月、安倍政権が、「在日外国人の核・ミサイル技術者の北朝鮮を渡航先とした再入国の禁止」を決めた。遅きに失したとはいえ、正しい措置であった。朝鮮総連傘下の在日本朝鮮人科学技術協会（科協）に属する核・ミサイル関連技術者に、北との自由な往来を許してきた日本の姿勢は余りに甘かった。

この点でも、イスラエルの対応は日本と大きく異なる。どころか次元を異にする。

二〇〇八年以降、少なからぬイランの核科学者が、実行者不明の形で、爆弾や銃器によってイラン国内で殺害された。二〇二〇年十一月二十八日には、イランの核開発に主導的役割を果たしてきたファクリザデが、首都テヘラン近郊を車で走行中に銃撃を受け死亡している。遠隔操作による自動式機関銃を使った三分間にわたる連続射撃だった。いずれもイスラエル情報機関の作戦と言われる。

核科学者が敵国に出入りして協力することを認めてきた日本と、核科学者を敵国に入ってまで除去するイスラエル。彼我の意識と行動力の差は大きい。

サイバー戦も重要性を増す分野である。二〇〇九年、イランの濃縮ウラン製造施設のコンピュータ制御システムに、アメリカとイスラエルが合同でサイバー攻撃を仕掛けた。ドイツ・ジーメンス社製の基幹部品にスタックスネットと呼ばれるマルウェアを埋め込み、遠心分離器に異常回転を起こさせて破壊したのである。イラン側は修正に約三年を要し、その分、核開発が遅延した。

あくまで遅延に過ぎず、サイバー攻撃「成功」とまで言えない、と総括する向きもあるが、問題はイランとの取引路線に転じたオバマ政権が、その後攻撃を中止したことにある。サイバー作戦は、どこまで波状的に展開するかによって「成功」の度合いが異なってくるというのが正しい総括だろう。

サイバー・セキュリティの専門家、伊東寛《いとうひろし》元陸上自衛隊システム防護隊長によれば、日本の関係当局では、いまなお、サイバー攻撃は「究極の長距離兵器」であって、反撃のためであっても日本が行うのは専守防衛の理念に反するとの意識が抜き難くあるという。

だが、「誘導弾などの基地をたたくことは、法理的に自衛の範囲」が政府見解である以上、核ミサイル無力化の手段からサイバー攻撃を排除する理由は見当たらない。

北朝鮮は過去に、大量の電子部品を日本から調達してきた。それを許してきたこと以上に、その間、部品にマルウェアを仕込む作戦を一度も展開しなかったことの方が、優秀な情報機関を持つ国から見れば驚きだろう。

攻撃的な軍事行動には出ない、秘密作戦部門を備えた情報機関の設置は考えない、サイバー攻撃は行わないでは、テロ勢力と効果的に戦うのは不可能だろう。

アラブ世界を刺激しないため表に出ない仕切りになっているが、イスラエルは、アメリカが実行する対テロ作戦でも重要な役割を果たしてきた。

イランの対外破壊活動責任者ソレイマニ司令官の殺害作戦もその例である。二〇二〇年一月三日、バグダッド空港でソレイマニ一行を傘下のイラク武装勢力幹部らが出迎え、二台の車に分乗して、空港から一般道に入る連絡路を通行中、上空で待機していた米軍無人攻撃機（ドローン）が遠隔操作でミサイルを発射、車内にいた一〇人全員を殺害した。周りに住宅地はなく、巻き添え被害は生じなかった。

完璧なタイミングの背後に、ヒューミント（人的情報収集）におけるイスラエル情報部の貢献があったといわれる。

日本よ、常識に還れ

置かれた状況も歴史も違い、イスラエルを理想とせよとは言わないが、アメリカとイスラエルの関係は、日本にも貴重な示唆を与えてくれる。建前上、「平和憲法」の制約があるにせよ、日本も、秘密戦分野でイスラエル的な活動は可能なはずである。というより、通常戦に制約があればあるほど、秘密戦に力を入れねばならない。そのためには、まずモサドに比肩するような、秘密作戦部門を備えた対外情報機関を持たねばならない。ＣＩＡにもＭＩ６にも秘密作戦部門はある。国際平和に責任を有する国ならば、むしろ高度な情報機関を持つのが常識と言えよう。

本書で一貫して強調したのは、この「日本よ、常識に還れ」という点である。

おわりに

前著『3年後に世界が中国を破滅させる　日本も親中国家として滅ぶのか』を上梓《じょうし》して約一年、新たに本書をまとめることができた。

その間に生じた最大の変化は、やはり、アメリカにおける政権交代だろう。前著でも、その可能性を念頭に、トランプとバイデンの比較にかなりの紙数を割いた。

ホワイトハウスを離れたとは言え、トランプの影響力はなお大きい。二〇二四年大統領選に向け、再出馬の意欲も見せている。その歯に衣着せぬ言動に、強固な支持者の間ではむしろ熱度が高まっており、共和党の既存エリート層や民主党の側も、トランプの影を常に意識せずにはおられない。

「トランプとは何か」については前著で詳述した。本書と併せ読んで頂けると幸いである。

この一年、個人的に最も衝撃を受けた事件の一つは、北朝鮮による「歴史的ハッキング」の犯人にされ掛けたことである。

ある日帰宅すると、アメリカの裁判所から国際宅配便で書類が届いていた。読んでみると、マイクロソフト社が北朝鮮工作機関を相手にした訴訟の判決文だった。

鋭意事情を調べたところ、最強のセキュリティ・システムを誇るマイクロソフトの中枢コンピュータに北のハッカー部隊が侵入して機微な情報を盗取、その際、私の名前と住所を用いて、すなわち私になりすまして犯行に及んだらしい。

もしマイクロソフトから損害賠償を突きつけられれば、私などひとたまりもない。一瞬にして破産する。

これはまずいのではないかと、アメリカの法務に詳しい弁護士に相談したところ、「裁判の進行上、誰か関係者に通知する手続きが必要なため、名前が分かっているあなたに文書を送ったようだ。犯人は姓名不詳の北朝鮮工作員複数名と判決文中に記してあり、あなたが容疑者というわけではない。ただ念のため、裁判所とマイクロソフトに、自分は全く無関係である旨明記した書簡を内容証明付きで送っておくのがよいかも知れない」とのアドバイスを得た。

翌日、早速手紙を書いて送ると、数日してマイクロソフトの担当者から電話があり、「あなたは無関係、というよりむしろ名前を使われた被害者であることは承知している。裁判所にも改めて通知しておいた。今後迷惑を掛けることはないので安心して欲しい」とのことだった。

裁判所からは特に連絡はなかったものの、私の手紙を関係文書として公開したらしく、この事件を追っていたジャーナリストが記事にし、国際ニュースとなった。サイバー関係者の間で私は一躍、「世界最高のハッカー」として有名になったわけだが、というのは冗談で、記事の骨子は、拉致問題などで北朝鮮にとって不都合な言動が目立つため、付随的に私が攻撃対象に選ばれたのだろうというものだった。

北はハッキングと「敵対分子」へのハラスメントの一石二鳥を狙《ねら》ったわけである。前後して、ある国の駐日外交官を名乗り、「教えを請いたい」とした添付ファイル付きのメールが送られてきた。開かずに、専門家に調べてもらったところ、南米のある国のサーバーを経由した、やはり北朝鮮発のウイルス・メールだった。当時国際的に、情報関係者の間で問題になっていたものだという。

北に批判的な言動を行っている人間は、私に限らず、数多い。しかし私の場合、「拉致被害者を救う会」副会長として、米下院の公聴会で証言するなど、アメリカの公的な場で活動する機会が比較的多かった。北にとっては、日米の連携強化が最も嫌なのだろう。それが私に狙いを定め、執拗《しつよう》に攻撃してくる理由のようだ。

こうした経緯に鑑み、本書の、とりわけ第四章を、北の対外工作部門は精読するはずである。北の新たな仕掛けに備えるためにも、日本の関係者にもぜひ参照してもらいたい。

ちなみに、前著が出て以来、中国方面からの攻撃メールも飛躍的に増えた。中共や北朝鮮の「プロ」が注目してくれているとすれば、危なくはあるが、光栄でもある。

本書の記述には、国家基本問題研究所（櫻井よしこ理事長）での毎週の議論から想を得、あるいは議論を通じて磨き得た部分も多い。武漢ウイルス禍の副産物として、研究所のオンライン会議システムが整備された。普段福井にいる私にとってはありがたい。もっとも、同研究所朝鮮問題研究会がはねた後の、杯を傾けながらの二次（研究）会が激減したのは打撃だった。

最後になったが、今回もビジネス社の唐津隆、佐藤春生両氏に大変お世話になった。前著出版直後から「第二弾」執筆を督励頂いた。記して謝意を表したい。

著者略歴
島田洋一（しまだ・よういち）
福井県立大学教授
1957年大阪府生まれ。京都大学大学院法学研究科政治学専攻修了後、京大法学部助手、文部省教科書調査官、2003年より現職。国家基本問題研究所企画委員・研究員。拉致被害者を「救う会」全国協議会副会長。著書に『３年後に世界が中国を破滅させる』（ビジネス社）、『アメリカ・北朝鮮抗争史』（文春新書）、共著に『日本とインド―中国封じ込めは可能か』（文藝春秋）、『新アメリカ論』（産経新聞出版）他多数。産経新聞「正論」執筆メンバー。

アメリカ解体

2021年９月１日　第１刷発行

著　者　島田洋一
発行者　唐津 隆
発行所　株式会社ビジネス社
〒162-0805　東京都新宿区矢来町114番地 神楽坂高橋ビル5階
電話　03(5227)1602　FAX　03(5227)1603
http://www.business-sha.co.jp

印刷・製本　大日本印刷株式会社
〈カバーデザイン〉大谷昌稔
〈本文組版〉メディア・ネット
〈編集担当〉佐藤春生
〈営業担当〉山口健志

ISBN978-4-8284-2312-8